3rd Edition 수정증보

Practical Exercise Book of
Dental Materials

치과재료학 실습지침서

한국치과재료학교수협의회

군자출판사

치과재료학 실습지침서(제3판 수정증보)

셋째판 1쇄 인쇄 | 2023년 2월 03일
셋째판 2쇄 발행 | 2024년 2월 20일

지 은 이 한국치과재료학교수협의회
발 행 인 장주연
출 판 기 획 한수인
책 임 편 집 김민수
편집디자인 신지원
표지디자인 신지원
일 러 스 트 김경열, 유학영
발 행 처 군자출판사(주)
　　　　　등록 제4-139호(1991. 6. 24)
　　　　　본사 (10881) **파주출판단지** 경기도 파주시 회동길 338(서패동 474-1)
　　　　　전화 (031) 943-1888　　　팩스 (031) 955-9545
　　　　　홈페이지 | www.koonja.co.kr

ISBN 979-11-5955-958-7

정가 40,000원

집필진

한국치과재료학교수협의회

고영무	조선대학교	송호준	전남대학교
김병훈	조선대학교	안진수	서울대학교
권용훈	부산대학교	양형철	서울대학교
권일근	경희대학교	이민호	전북대학교
권재성	연세대학교	이상훈	서울대학교
권태엽	경북대학교	이정환	단국대학교
김광만	연세대학교	이해형	단국대학교
김해원	단국대학교	임범순	서울대학교
박영준	전남대학교	오승한	원광대학교
박찬호	경북대학교	정신혜	서울대학교
배지명	원광대학교	최한철	조선대학교
배태성	전북대학교	홍민호	강릉원주대학교
설효정	부산대학교		(가나다순)

머리말

치의학에서 재료의 발전은 재료의 사용으로 진료가 조금 더 편리해진 것에 그친 것이 아니라 치과임상 자체를 크게 변화시킨 중요한 계기라고 할 수 있겠습니다. 현재에도 수많은 치과재료들이 개발되고 있어서 치과임상은 앞으로도 더욱 더 풍요로워질 것으로 기대하고 있습니다. 그렇지만 많은 종류의 치과재료 중에서 사용에 편리하면서도 증례에 적합한 재료를 찾는다는 것은 쉬운 일이 아닙니다. 또한 재료들을 적절하고 정확하게 취급하는 것도 마찬가지입니다.

현재 치과재료학 실습은 각 대학에서 자체적으로 그 내용과 범위를 정하여 실습이 이루어지고 있어서, 그 편차가 비교적 큰 편이라고 할 수 있습니다. 이러한 문제점 때문에 표준화된 치과재료학 실습지침서의 필요성이 제기되어 한국치과재료학교수협의회에서는 본 개정판을 내어놓게 되었습니다. 이 실습지침서는 치과재료에 대하여 국제국제표준화기구(International Standard Organization, ISO)에서 규정한 시험방법들을 중심으로 하여 기술하였습니다. 이 책의 여러 부분에서 부족한 점이 많으리라 생각하지만 치과재료학 실습을 진행하는 데 있어서 기초 자료로서 활용되었으면 합니다.

본 교재의 발간을 위해 애써주신 한국치과재료학교수협의회 교수님들, 그리고 바쁘신 중에도 편집에 수고해주신 전북대학교 치과대학 치과생체재료학교실 배태성 교수님을 비롯한 교실원들에게도 감사를 드립니다. 또한 본 책의 발간을 맡아주신 군자출판사에도 깊은 감사를 드립니다.

2023년 2월

한국치과재료학교수협의회장

목차

Chapter

03 왁스

Chapter

04 매몰재

목차

Chapter
05 치과용 금속재료

Chapter 06 치과정밀주조

Chapter 07 납착

목차

Chapter
10 의치상용 레진

I. 기초지식   119

II. 의치상용 레진의 분류 및 요구사항   124

III. 실습내용   126

목차

Chapter

1

인상재

- 인상재의 성질을 이해하고 조작방법을 습득한다.
- 취급상의 차이가 인상재의 성질에 미치는 영향에 대하여 살펴본다.

I 기초지식

1. 인상재의 분류

  인상재는 구강 내의 경조직 및 연조직의 형상을 음형의 형태로 정밀하게 복제하기 위해 사용하는 재료이다. 인상재는 경화반응의 형태에 따라 화학반응에 의하여 경화가 일어나는 비가역성 인상재와 온도변화에 의하여 경화가 일어나는 가역성 인상재로 분류하기도 하고, 경화 후의 탄성 유무에 따라 탄성 인상재와 비탄성 인상재로 분류하기도 한다. 탄성 인상재에는 수성콜로이드 인상재(알지네이트, 아가)와 고무 인상재(폴리썰파이드, 폴리에테르, 실리콘)가 있고, 비탄성 인상재에는 인상용 석고, 산화아연 유지놀 인상재, 콤파운드 인상재, 인상용 왁스 및 아크릴계 기능 인상재 등이 있다(표 1-1).

표 1-1. **치과용 인상재의 분류.**

	비탄성(non-elastic)		탄성(elastic)

비가역성
(화학반응)
	취성(rigid)		1. 비가역성 수성 콜로이드 인상재
			    − 알지네이트 인상재
			2. 고무 인상재
			    − 폴리썰파이드 고무 인상재
			    − 폴리에테르 고무 인상재
			    − 실리콘 고무 인상재
			     • 축중합형(condensation type)
			     • 부가중합형(addition type)
			      (고점도, 중점도, 저점도)

	1. 인상용 석고
	2. 산화아연유지놀 인상재
	    − 분말/액 형
	    − 페이스트 형		

가역성 (온도변화)	가소성(plastic)		1. 가역성 수성 콜로이드 인상재 − 아가 인상재

	1. 콤파운드 인상재
	    − 인상용 콤파운드(type I)
	    − 트레이 콤파운드(type II)
	2. 인상용 왁스		

2. 인상재에 요구되는 성질

인상재는 인체에 유해한 물질을 성분으로 포함하지 않아야 하며, 조작시간은 충분히 길고 경화시간은 짧아야 한다. 구강 내에 압접할 때에는 충분한 유동성을 가져서 미세부의 기록이 가능해야 하고, 경화과정에서의 크기변화가 작아야 한다. 인상체를 철거할 때에는 변형과 찢어짐에 대한 저항성을 가져야 하고, 함몰부에서 빠져나올 수 있을 정도로 압축이 가능해야 하며, 또한 빠져나온 이후에는 탄성회복이 크고 영구변형은 작아야 한다.

3. 탄성 수성 콜로이드 인상재

1) 알지네이트 인상재

주성분은 용해성 알긴산 나트륨염(또는 칼륨염)과 황산칼슘 이수염이며, 인상재의 성질을 조절하기 위해 필러, 불화티탄칼륨, 색소, 향료 등을 첨가하고 있고, 또한 반응속도를 조절하기 위해서 인산삼나트륨 또는 탄산나트륨을 첨가하고 있다. 알지네이트 분말을 물과 혼합하면 알긴산 나트륨의 가용성으로 인해 졸화가 된다. 알긴산 분자 내 카르복실기의 Na^+ 이온이 황산칼슘 중의 Ca^{2+} 이온에 의해 치환이 되어서 물에 용해성이 없는 알긴산 칼슘염이 되어서 겔화가 일어난다(그림 1-1). 이 반응은 매우 빨라서 적절한 조작시간을 얻기가 어렵기 때문에, 인산삼나트륨을 소량 첨가하여 알지네이트의 겔화속도를 조절하고 있다.

알지네이트 인상재는 제품의 형태에 따라 분말형과 페이스트형이 있다. 페이스트형은 알긴산염을 물과 혼합하여 페이스트 상태로 제조한 것으로, 석고분말을 첨가하여 혼합하면 경화가 된다. 분말형은 성분들을 혼합하

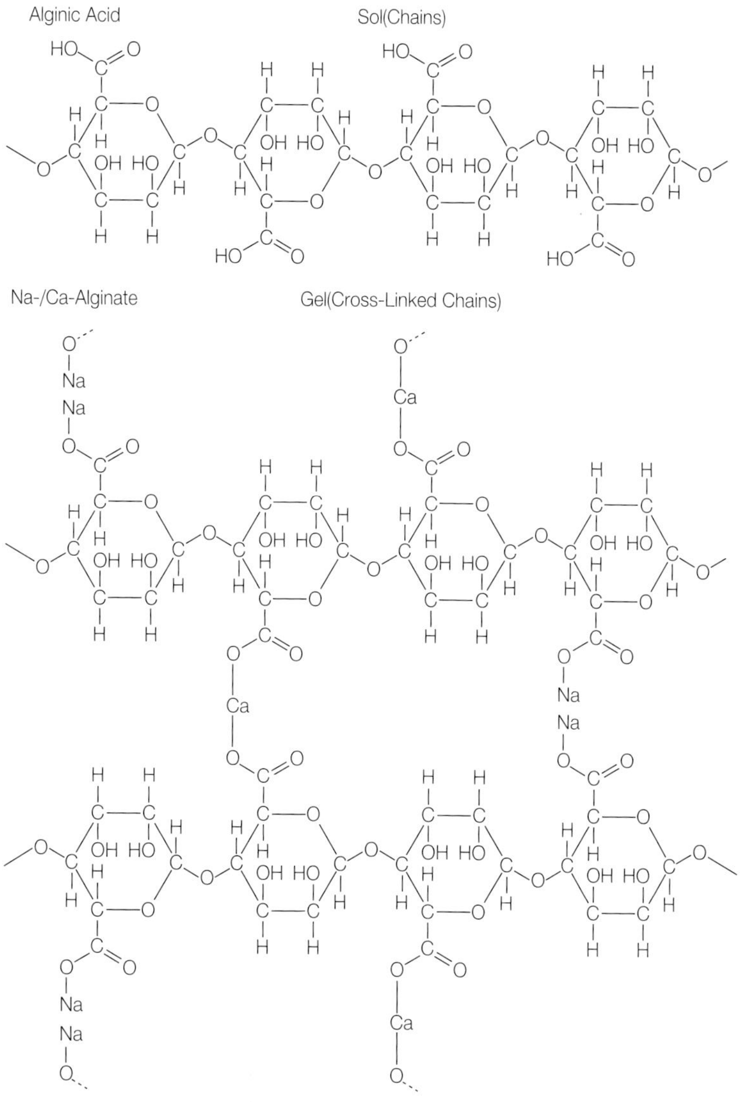

그림 1-1. **칼슘 이온에 의해 가교된 알긴산 나트륨의 구조.**

여 분말상태로 제조한 것으로, 물을 첨가하여 혼합하면 경화가 된다. 이외에 경화지연제로 사용한 인산삼나트륨의 농도에 따라서 급경화형(1.5~3분)과 정상경화형(3~4.5분)으로 분류한다.

2) 아가인상재

아가는 홍조류의 일종인 한천으로서 인상재로는 분자량 약 150,000 정도의 것이 사용된다. 아가를 가열하면 71–100℃에서 녹아서 유동성이 있는 졸 상태가 되지만, 냉각하면 40–50℃에서 물을 함유하는 반고체 상태의 겔이 된다. 겔의 강도 증가를 위해서 소량의 붕사($Na_2B_4O_7 \cdot 10H_2O$)가 첨가되는데, 이것은 석고의 경화를 지연시키므로 모형의 표면이 거칠고 푸석하게 될 수 있으며, 이를 개선하기 위해 약 2%의 황산칼륨을 첨가하고 있다.

3) 성질과 조작성

알지네이트 인상재는 성분 중 필러의 함량이 높기 때문에 아가 인상재에 비해서 유동성이 낮으므로 미세부재현성이 떨어진다. 따라서 알지네이트는 연구모형의 제작이나 아가 인상재와의 연합인상 시 1차 인상채득용으로 사용하고 있다. 수성콜로이드 인상재는 콜로이드 입자의 얽힌 구조에 수분이 삼투작용에 의해서 함입된 상태이므로, 물과 접촉 시 흡수가 일어나서 팽윤이 되지만, 인상채득 후에는 수분의 증발과 이액으로 인해서 시간이 경과함에 따라 수축이 일어난다. 인상체를 실내에 방치했을 때 시간 경과에 따라서 일어나는 수축은 아가와 알지네이트 모두에서 공통되는 것이지만, 화학반응으로 경화가 일어나는 알지네이트에서 그 정도가 더욱 심하게 나타난다. 아가 인상재는 온도변화에 의해서 졸화와 겔화가 일어나므로 온도조절을 위한 항온수조와 물이 순환하는 트레이와 같은 특별한 기구가 필요하다. 여기에 비하면 알지네이트 인상재는 분말과 물을 혼합하는 것만으로 사용이 가능하기 때문에 조작이 간편한 인상재라고 할 수 있다.

4. 탄성 중합체 인상재

1) 폴리썰파이드 고무 인상재

기저재와 촉진제의 형태로 공급된다. 기저재는 저분자량(2,000-4,000)의 폴리썰파이드 고무에 필러와 향료를 첨가하여 제조하고, 촉진제는 이산화납, 유황, 가소제, 착색제를 첨가하여 제조한다. 폴리썰파이드 고무 인상재의 경화는 말단에 머캅탄(mercaptan, -SH) 기를 갖는 폴리썰파이드 고무가 이산화납 촉매의 작용으로 탄성중합체가 만들어지며 일어난다(그림 1-2). 경화반응의 과정에서 부산물로 물이 생성되므로 수축이 발생한다. 폴리썰파이드 고무 인상재의 경화반응은 이산화납이나 황을 첨가하거나, 수분이 존재하거나, 20-70℃ 범위에서 온도를 상승시키거나, 스테아린산 또는 올레산과 같은 지방산을 첨가할 때 촉진된다. 폴리썰파이드 고무 인상재는 황화수소 때문에 불쾌한 냄새가 나며, 경화시간은 약 7-10분으로 고무 인상재 중에서 가장 길다.

2) 축중합형 실리콘 고무 인상재

기저재, 반응제 및 촉매의 형태로 공급된다. 기저재는 -OH 기를 갖는 저분자량의 dimethyl siloxane 및 실리카 필러 등으로 이루어져 있고, 반응제는 에틸 실리케이트, 실리카 미분말, 산화티타늄 등으로 이루어져 있으며, 촉진제는 카프로산 제2주석(stannous octoate)을 포함한다. 축중합형 실리콘 고무 인상재의 기저재, 반응제 및 촉진제의 3가지를 혼합하면 알콜이 생성되며 고무상의 탄성 중합체가 만들어진다(그림 1-3).

3) 부가중합형 실리콘 고무 인상재

기저재와 반응제의 형태로 공급된다. 기저재 페이스트는 분자의 말단에 비닐기(-CH=CH$_2$)를 갖는 액상의 divinyl polydimethyl siloxane, 실리카 미분말 등으로 이루어져 있고, 반응제는 Si-H 기를 갖는 poly (methyl hydrosiloxane), 유기금속화합물, 실리카 미분말, 염화백금산(chloroplatinic acid) 등으로 이루어져 있다. 기저재와 반응제를 혼합하면 촉매의 작용으로 vinyl 기의 2중결합이 열리며 hydride 기와 부가중합반응이 일어나서 고

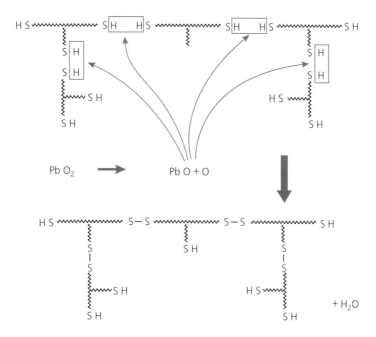

그림 1-2. **폴리썰파이드 고무 인상재의 경화반응.**

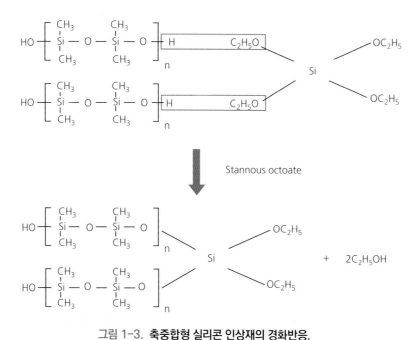

그림 1-3. **축중합형 실리콘 인상재의 경화반응.**

무상의 탄성 중합체가 만들어진다(그림 1-4). 부가중합형 실리콘 인상재는 vinyl silicone과 hydride silicone이 정확한 비율을 유지하고 불순물이 없으면 반응부산물은 생성되지 않는다. 하지만 그 비율을 정확하게 맞추는 것이 현실적으로 어렵기 때문에 잔류 hydride silicone과 수분이 반응하여 수소가스가 생성되므로 인상채득 후 곧바로

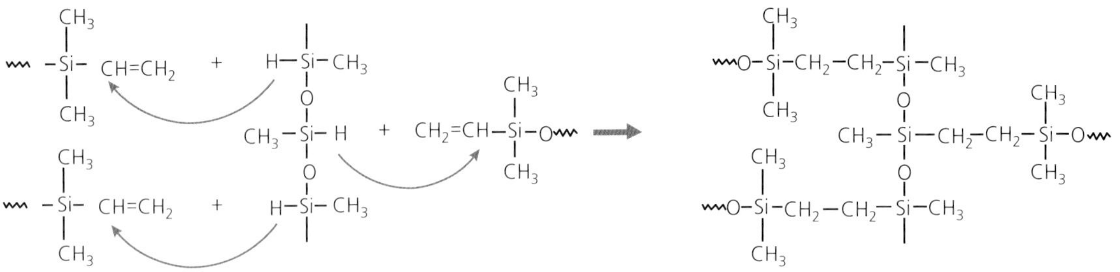

그림 1-4. 부가중합형 실리콘 인상재의 경화반응.

석고를 부으면 모형의 표면에 미세기공이 생성된다. 이러한 문제점을 개선하기 위해서는 인상채득 후 수소가스의 배출을 위해서 2시간 정도 기다린 후 모형을 제작하거나 수소가스가 표면으로 올라오기 전에 흡수가 일어나도록 포집제로서 Pt이나 Pd과 같은 귀금속을 첨가하고 있다. 경화시간이 짧고, 경화과정에서 부산물이 생성되지 않으므로 크기안정성이 우수하다.

4) 폴리에테르 고무 인상재

기저재, 반응제 및 희석제의 형태로 공급된다. 기저재는 ethylene imine 기를 갖는 저분자량의 폴리에테르 고무, 실리카 미분말, 글리콜 에테르 등으로 이루어져 있고, 반응제는 벤젠 썰폰산 에스테르, 실리카 미분말, 글리콜 이써 등으로 이루어져 있으며, 희석제는 글리콜 에테르가 주성분이며 점도를 조절하기 위해 사용한다. 경화는 고리구조의 ethylene imine 기를 갖는 저분자량의 폴리에테르 고무가 벤젠썰폰산 에스테르의 촉매작용으로 개환되어 고무상이 됨에 따라서 일어난다(그림 1-5).

5) 고무 인상재의 성질

고무 인상재의 크기변화는 주로 중합 시 발생하는 수축이나 반응부산물의 손실, 물이나 소독제 등에 의한 팽윤 등으로 일어난다. 고무 인상재의 24시간 후의 수축률은 경화반응과정에서 알코올이 부산물로 생성되는 축중합형 실리콘 고무 인상재에서 가장 크고 다음으로 물이 부산물로 생성되는 폴리썰파이드 고무 인상재에서 크다. 이들 재료로 인상을 채득한 경우에는 1시간 이내에 모형을 제작하도록 추천하고 있다.

고무 인상재의 물에 대한 접촉각은 폴리에테르 고무 인상재가 49°로 가장 작고 종래형 부가중합형 실리콘 고무 인상재가 98°로 가장 크다. 부가중합형 실리콘 고무 인상재로 인상을 채득할 때 타액이 조절되지 못하여 수분이 존재하면, 형성된 치아표면과 긴밀한 접촉이 일어나지 못하여서 미세부 재현성이 저하된다. 이러한 문제점을 개선하기 위해서 계면활성제와 같은 습윤제를 첨가하여 접촉각을 감소시키고 있지만 정밀한 인상 채득을 위해서는 건조가 필수이다. 표 1-2는 고무 인상재들의 성질을 비교한 것이다.

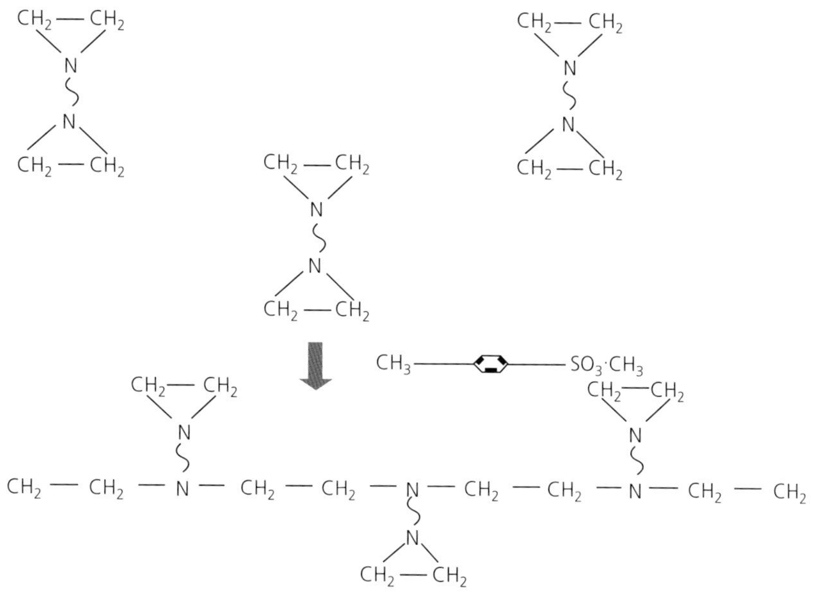

그림 1-5. 폴리에테르 고무 인상재의 경화반응.

표 1-2. 고무 인상재의 성질 비교.

성질	폴리설파이드	축중합형 실리콘	부가중합형 실리콘	폴리에테르
작업시간(분)	4–7	2.5–4	2–4	2–3
경화시간(분)	7–10	6–8	4–6	5–6
찢김 강도(N/m)	2,500–7,000	2,300–2,600	1,500–4,300	1,800–4,800
% 수축(24시간 후)	0.40–0.45	0.38–0.60	0.14–0.17	0.19–0.24
경화된 재료와 물 사이의 접촉각(°)	82	98	98/53	49
수소가스 발생(Y/N)	N	N	Y[1]	N
자동 혼합(Y/N)	N	N	Y	Y
맞춤 트레이(Y/N)	Y	N	N	N
불쾌한 냄새(Y/N)	Y	N	N	N
복수의 모형 제작(Y/N)	N	Y	Y	Y
강성(1이 가장 뻣뻣하다)	3	2	2	1[2]
제거 시 변형(1이 가장 심하게 변형된다)	1	2	4	3
단위 체적에 대한 비용(1이 가장 비싸다)	4	3	2	1

[1] 수소가스 제거를 위해 포집제로 Pt, Pd를 첨가함.

[2] 폴리에테르는 강성이 커서 탄성변형이 작으므로 언더컷 부위나 동요치의 인상채득에는 부적합하므로 언더컷 부위의 블록 아웃(blocking out)이 요망됨.

* (필립스 치과재료학 11판, 참윤, p231, 표 9-6)

5. 비탄성 인상재

1) 인상용 콤파운드

53-60℃에서 연화되며, 총의치 제작을 위한 무치악 인상, 인레이 와동의 정확도 검사, 총의치 또는 국소의치의 제작 시에 기능인상 및 압박인상을 하는 데 사용한다. 인상용 콤파운드의 조성은 제품에 따라 다르지만, 대체로 천연수지, 합성수지, 스테아린산, 필러, 색소 등을 포함한다. 45℃에서는 인상채득이 가능한 정도의 유동성을 가져야 하고, 구강온도에서 경화가 일어나야 한다. 열전도율이 낮으므로 내부까지 완전하게 연화되도록 하기 위해서는 용해온도보다 조금 더 높은 온도의 수조에서 충분히 가열해야 한다. 그렇지만 뜨거운 물속에 너무 오래 담가두면 수용성 성분이 유리되어서 유동성이 저하될 수 있다.

2) 산화아연 유지놀 페이스트

인상용 산화아연유지놀 페이스트는 두 개의 페이스트 형태로 공급된다. 한 개의 페이스트에는 산화아연과 식물성 또는 광물성 기름이 들어있고, 또 다른 페이스트에는 유지놀과 로진이 들어있다. 식물성과 광물성 기름은 가소제 역할을 하고 또한 유지놀의 자극성을 경감시켜 준다. 산화아연 유지놀 페이스트의 경화는 산화아연과 유지놀이 반응하여 킬레이트 화합물인 유지놀아연이 생성되어 일어난다. 경화수축이 0.1% 이하로 매우 작기 때문에 크기안정성이 우수하다. 산화아연 유지놀 페이스트의 경화반응은 온도와 습도가 높거나 물이나 알코올을 첨가하거나 초산아연이나 초산마그네슘 등의 반응촉진제를 첨가하면 촉진되지만 글리세린, 올리브유, 바셀린 등을 첨가하면 지연된다.

3) 인상용 왁스

의치의 제작을 위한 인상채득 및 교합관계의 기록을 위한 바이트 왁스로 사용한다. 구강 내 유동성은 산화아연유지놀 페이스트보다 크고, 또한 인상용 콤파운드가 50-60℃ 범위에서 갖는 유동성보다 크다. 열팽창계수가 $350-700 \times 10^{-6}/℃$로 매우 크기 때문에 경화과정에서 수축이 크다.

II 치과용 인상재의 분류 및 요구사항

1. 수성 콜로이드 인상재의 분류 및 요구사항

1) 수성콜로이드 아가 인상재의 분류

ISO 21563:2013(E)에서는 아가 인상재를 점도에 따라 유형 1 : 고점도, 유형 2 : 중점도, 유형 3 : 저점도, 그리고 유형 3A : 저점도 시린지형으로 분류하고 있다. 유형 1 고점도는 총의치 또는 국소의치의 인상채득에 사용하며 점도가 더 낮은 유형 2 또는 유형 3과 함께 사용할 수도 있다. 유형 2 중점도는 총의치와 국소의치의 인상채득에 사용하며, 점도가 더 낮은 유형 3을 시린지에 담아서 함께 사용할 수 있다. 유형 3의 저점도는 유형 1 또는 유형 2와 함께 사용할 때 시린지용으로 사용한다. 유형 3A 저점도 가역/비가역 인상재, 즉 알지네이트 인상재와 연합인상을 위해서 시린지용으로 공급되는 재료이다.

2) 수성 콜로이드 인상재의 성질에 대한 요구사항

아가와 알지네이트에 공통적으로 요구되는 사항들을 표 1-3에 표시하였다.

표 1-3. 아가와 알지네이트에 공통적으로 요구되는 성질들.

시험절차	아가		알지네이트 (분말형과 페이스트형)
	유형1과 유형2	유형3과 유형3A	
소독 전후의 세선 재현 재현 선폭(μm)	20	20	20
석고와의 적합성 재현 선폭(μm)	50	50	50
탄성회복률 최소(%)	96.5	96.5	95.0
압축변형률 최대 최소 범위(%)	4.0-15.0	4.0-15.0	5.0-20.0
찢김강도 최소(N/mm)	0.75	0.50	0.38

2. 탄성 중합체 인상재의 분류 및 요구사항

1) 탄성 중합체 인상재의 분류

ISO 4823:2015(E)에서는 탄성 중합체 인상재를 점도에 따라

유형 0: 초고점도(putty consistency),

유형 1: 고점도(heavy−bodied consistency),

유형 2: 중점도(medium−bodied consistency),

유형 3: 저점도(light−bodied consistency)로 분류하고 있다.

2) 탄성 중합체 인상재의 성질에 대한 요구사항

탄성 중합체 인상재의 성질에 대한 요구사항을 표 1-4에 표시하였다.

표 1-4. 탄성 중합체 인상재의 성질에 대한 요구사항

유형	점조도 (mm)		세선재현성 (재현선폭) (µm)	선상 크기변화 (µm)	석고적합성 (재현선폭) (µm)	탄성회복률(%)	압축변형률(%)	
	최소	최대		최대		최소	최소	최대
초고점도(0)	−	35	75	1.5	75	96.5	0.8	20
고점도(1)	−	35	50	1.5	50	96.5	0.8	20
중점도(2)	31	41	20	1.5	50	96.5	2.0	20
저점도(3)	36	−	20	1.5	50	96.5	2.0	20

Ⅲ 실습내용

1. 압축변형률의 시험

1) 점탄성체의 변형 거동에 대한 기초지식

대부분의 치과용 인상재는 탄성과 점성이 복합된 점탄성적인 성질을 보이므로 하중을 가하는 속도는 재료의 변형 거동에 영향을 미친다. 일반적으로 재료에 외력이 작용할 때 변형속도가 빠르면 탄성적 특성이 크게 나타나고 변형속도가 느리면 점성적 특성이 크게 나타난다.

탄성체와 점성체의 거동은 역학적 모델을 사용하면 보다 쉽게 이해할 수 있다. 탄성체는 외력이 작용하는 즉시 변형이 되고 외력이 제거되면 즉시 원상을 회복하므로 스프링으로 간주할 수 있다(그림 1-6 A). 점성체는 완충 용액을 포함하는 충격흡수장치와 같은 역할을 하므로 dashpot로 간주할 수 있다. 따라서 외력이 작용하면 변형이 서서히 일어나지만 외력이 제거되어도 변형은 회복되지 않고 그대로 남는다(그림 1-6 B).

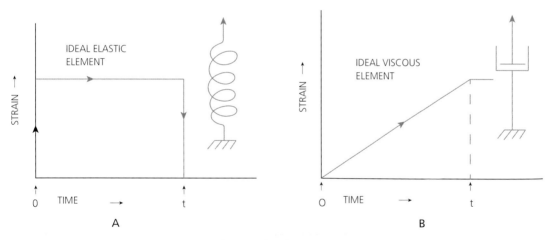

그림 1-6. **탄성체 A와 점성체 B의 시간에 따른 변형 거동.**

점탄성체는 탄성, 점성 및 의탄성이 복합(그림 1-7 A)된 성질을 보이므로 그의 외력작용 시의 변형 거동은 그림 1-7B와 같다. 외력이 작용하면 일차적으로 탄성 변형이 순간적으로 일어나고 이어서 점성과 의탄성 거동으로 인해서 시간이 경과하며 변형이 서서히 증가하여 평형상태에 도달한다. 한편 외력이 제거되면 탄성 변형은 순간적으로 회복되고 의탄성 변형은 시간이 경과하며 서서히 회복되지만 점성에 의한 영구변형은 그대로 남는다.

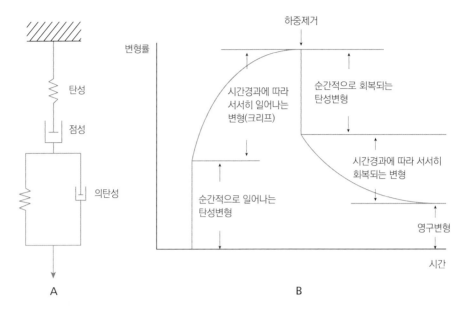

탄성

점성

의탄성

변형률

하중제거

시간경과에 따라
서서히 일어나는
변형(크리프)

순간적으로 회복되는
탄성변형

순간적으로 일어나는
탄성변형

시간경과에 따라 서서히
회복되는 변형

영구변형

시간

A   B

그림 1-7. 탄성체와 점성체를 직렬과 병렬로 연결하여 나타낸 점탄성체의 일반화된 모델(A)과 외력 작용 시의 변형 거동(B).

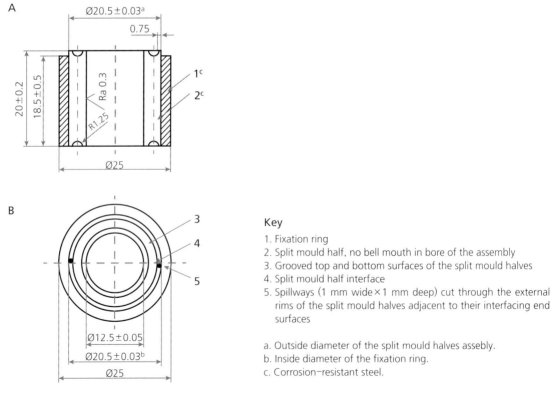

A

Ø20.5±0.03ᵃ

0.75

20±0.2

18.5±0.5

Ra 0.3

R1.25

1ᶜ

2ᶜ

Ø25

B

3

4

5

Ø12.5±0.05

Ø20.5±0.03ᵇ

Ø25

Key

1. Fixation ring
2. Split mould half, no bell mouth in bore of the assembly
3. Grooved top and bottom surfaces of the split mould halves
4. Split mould half interface
5. Spillways (1 mm wide×1 mm deep) cut through the external rims of the split mould halves adjacent to their interfacing end surfaces

a. Outside diameter of the split mould halves assebly.
b. Inside diameter of the fixation ring.
c. Corrosion-resistant steel.

그림 1-8. 금속 링(A)과 시편제작용 금형(B)의 도면.

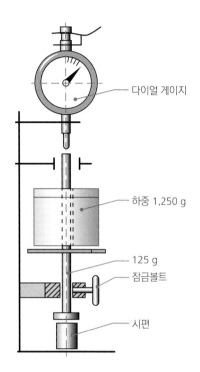

- 다이얼 게이지
- 하중 1,250 g
- 125 g
- 잠금볼트
- 시편

그림 1-9. **압축변형률시험용 기구에 대한 모식도.**

알지네이트 인상재로 인상 채득 시 인상체가 치관의 최대 풍융부를 빠져나오면, 탄성 변형은 순간적으로 회복되고 의탄성 변형은 서서히 회복되지만, 점성 변형은 회복되지 않고 그대로 남는다. 알지네이트 인상체에 석고를 부어서 모형을 제작할 때 인상채득 후 곧바로 석고를 부으면 의탄성 변형이 충분히 회복되지 못하여 모형이 부정확해질 수 있다.

2) 실습기구 및 재료

알지네이트 인상재, 러버볼과 스파튤라, 계량컵과 계량스푼, 유형 3 저점도 부가중합형 실리콘 고무 인상재와 자동혼합기, 내경 20.5±0.03 mm × 높이 18.5±0.5 mm 금속 링과 내경 12.5±0.05 mm × 높이 20±0.2 mm 시편제작용 금형(그림 1-8), 다이얼 게이지가 부착되어 있는 압축변형률시험용 기구(그림 1-9), 50×50×5 mm 유리판 4장과 유리판을 덮을 수 있는 크기의 셀룰로이드 스트립 4장, 슬라이드 글라스를 잘라서 준비한 25×25×1 mm 유리판 4장, C형 클램프 2개, 35±1℃에서 유지되는 수조 등.

(1) 알지네이트 인상재의 압축변형률의 시험 절차

① 금속 링과 시편제작용 금형의 내면에 분리제로 실리콘을 얇게 바른 다음 셀룰로이드 스트립을 깐 유리판 위에 올려놓는다.

② 알지네이트 인상재를 제조자의 지시에 따라 혼합한 다음 금속 링에 채우고 시편제작용 금형이 바닥에 접촉할 때까지 눌러 넣어서 인상재가 위로 넘쳐 나오게 한다.

③ 또 다른 셀룰로이드 스트립과 상부 유리판으로 덮고 압착하여 여분의 재료를 제거한 다음 C-형 클램프로 고정해서 35±1℃ 수조에 침지하고 제조자가 제시한 경화시간 동안 유지한다.

④ 시편의 경화 후 40초 이내에 분리해서 15×15×2 mm 유리판 위에 올리고서 압축변형률시험용 기구의 측정부 중앙에 오도록 위치시킨다.

⑤ 시편의 중앙부 위에 25×25×1 mm의 또 다른 유리판을 올리고서 다음의 절차에 따라서 시험을 진행한다. 여기에서, t는 시편을 수조에서 제거한 시간이다.

(a) t+45초: 시편 상에 125±10 g의 하중봉을 내려서 시편 위의 유리판에 가볍게 내려놓는다(그림 1-10).

(b) t+80초: 다음의 다섯 단계를 재빠르게 진행한다.
 - 하중봉을 고정나사로 고정한다.
 - 다이얼 게이지 스핀들을 하중봉에 가볍게 접촉시킨다.
 - 다이얼 게이지의 눈금을 0.01 mm 정확도에서 측정하여 h_1이라 한다.
 - 하중봉과 다이얼 게이지의 스핀들을 들어 올려서 고정한다.
 - 하중봉의 유지부에 1,250±10 g 하중을 올려놓는다(그림 1-11).

(c) t+90: 고정나사를 풀고 하중봉을 10초에 걸쳐서 천천히 내려서 유지한다.

(d) t+120초: 하중봉을 고정하고 다이얼 게이지의 눈금을 0.01 mm 정확도에서 측정하여 h_2라 한다.

참조 다이얼 게이지의 눈금을 읽어야 하는 시점에 휴대폰으로 사진을 찍은 다음 그 값을 읽어서 기록하면 보다 정확한 결과를 얻을 수 있음.

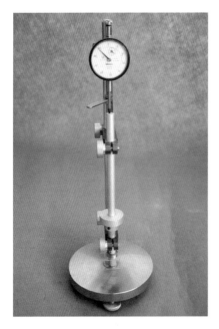
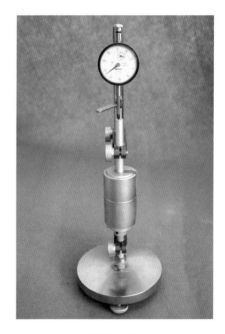

그림 1-10. 그림 1-11.

(2) 유형 3 저점도 부가중합형 실리콘 고무 인상재의 압축변형률의 시험 절차

① 금속 링과 시편제작용 금형의 내면에 실리콘 그리스를 얇게 바른 다음 셀룰로이드 스트립을 깐 50×50×5 mm 유리판 위에 올려놓는다.

② 자동혼합한 인상재를 내경 20.5 mm × 높이 18.5 mm 금속 링에 절반 이상이 되도록 채우고 시편제작용 금형이 바닥에 접촉할 때까지 눌러 넣어서 인상재가 위로 넘쳐 나오게 한다.

③ 셀룰로이드 스트립과 상부 유리판으로 덮고 압착을 하여서 여분의 재료를 제거한 다음 C−형 클램프로 고정해서 35±1℃ 수조에 침지하고 제조자가 제시한 경화시간 동안 유지한다.

④ 시편의 경화 후 40초 이내에 분리해서 25×25×1 mm 유리판 위에 올리고서 압축변형률시험용 기구의 측정부 중앙에 오도록 위치시킨다.

⑤ 시편의 중앙부 위에 25×25×1 mm의 또 다른 유리판을 올리고서 다음의 절차에 따라서 시험을 진행한다. 여기에서, t는 시편을 수조에서 제거한 시간이다.

  (a) t+60초: 시편 상에 125±10 g의 하중봉을 내려서 유리판 위에 가볍게 내려놓는다.

  (b) t+90초: 하중봉을 고정나사로 고정하고 다이얼 게이지의 스핀들을 가볍게 접촉시킨 상태에서 눈금을 0.01 mm 정확도로 측정하여 h_1이라 한다.

  (c) t+95초: 다이얼 게이지의 스핀들을 들어 올려서 고정하고, 하중봉의 고정나사를 풀고 하중봉의 유지부에 1,250±10 g의 무게를 10초에 걸쳐서 올려놓는다.

  (d) t+135초: 하중봉을 고정나사로 고정하고 다이얼 게이지의 스핀들을 내려서 접촉시킨 다음 눈금을 0.01 mm 정확도에서 측정하여 h_2라 한다.

3) 결과의 계산

다음의 식 1−1을 이용하여 압축변형률을 백분율로 계산한다.

식 1−1

$$E = \frac{h_1 - h_2}{h_0} \times 100\%$$

여기에서, h_0는 시편제작용 몰드의 높이이고, h_1은 초기하중을 가한 후 30초가 경과되었을 때의 다이얼 게이지 측정값이며, h_2는 총하중을 가하고 35초가 경과하였을 때의 다이얼 게이지 측정값이다.

4) 시험결과의 평가 및 비교

① 시험결과가 알지네이트 인상재와 유형 3 저점도 부가중합형 실리콘 고무 인상재의 압축변형률에 대한 요구사항을 만족하는지 조사해보자.

② 알지네이트 인상재와 유형 3 저점도 부가중합형 실리콘 고무 인상재의 압축변형률의 측정 결과를 비교해보자.

2. 탄성회복률의 시험

1) 실습기구 및 재료

알지네이트 인상재, 러버볼과 스파튤라, 계량컵과 계량스푼, 유형 3 저점도 부가중합형 실리콘 고무 인상재와 자동혼합기, 내경 20.5±0.03 mm × 높이 18.5±0.5 mm 금속 링과 내경 12.5±0.05 mm × 높이 20±0.2 mm 의 시편제작용 금형(그림 1-8), 다이얼 게이지가 부착되어 있고 시편을 20%까지 압축할 수 있는 탄성회복률시험 용 기구(그림 1-12), 50×50×5 mm 유리판 4장과 유리판을 덮을 수 있는 크기의 셀룰로이드 스트립 4장, 슬라이드 글라스를 잘라서 준비한 25×25×1 mm 유리판 4장, C형 클램프 2개, 35±1℃에서 유지되는 수조 등.

2) 시험절차

(1) 알지네이트 인상재의 탄성회복률의 시험 절차

① 인상재 시편을 4 mm (20%) 압축이 가능하도록 탄성회복률시험용 기구의 다이얼 게이지의 눈금을 조절한 다(그림 1-12).

② 금속 링과 시편제작용 금형의 내면에 실리콘 그리스를 얇게 바른 다음 셀룰로이드 스트립을 깐 유리판 위에 올려놓는다.

③ 알지네이트 인상재를 제조자의 지시에 따라 혼합한 다음 금속 링에 채우고 시편제작용 금형이 바닥에 접촉할 때까지 눌러 넣어서 인상재가 위로 넘쳐 나오게 한다.

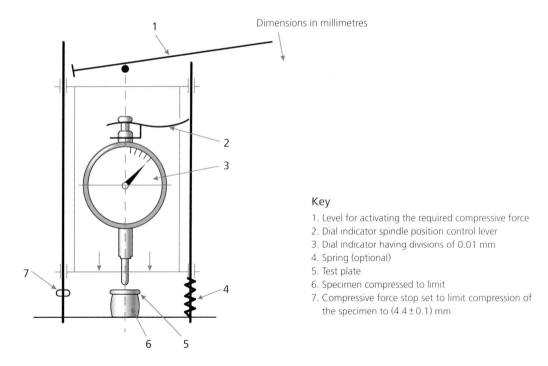

Dimensions in millimetres

Key
1. Level for activating the required compressive force
2. Dial indicator spindle position control lever
3. Dial indicator having divisions of 0.01 mm
4. Spring (optional)
5. Test plate
6. Specimen compressed to limit
7. Compressive force stop set to limit compression of the specimen to (4.4±0.1) mm

그림 1-12. 탄성회복률시험용 기구에 대한 모식도.

테두리를 돌려서 영점을 맞춘다.

우측의 핸들을 풀고 4 mm를
내린 다음 고정한다.

좌측의 핸들을 돌려서 영점을 맞춘다.

그림 1-13. 탄성회복률시험용 기구에 장착되어 있는 다이얼 게이지를 조절하여 시편 금형높이(20 mm)의 20%에 상당하는 4 mm 압축이 가능하도록 영점을 조절하는 과정.

④ 셀룰로이드 스트립과 상부 유리판으로 덮고 압착하여 여분의 재료를 제거한 다음 C-형 클램프로 고정해서 35±1℃ 수조에 침지하고 제조자가 제시한 경화시간 동안 유지한다.

⑤ 시편의 경화 후 40초 이내에 분리해서 25×25×1 mm 유리판 위에 올리고서 탄성회복률시험용 기구의 측정부 중앙에 오도록 위치시킨다.

⑥ 시편의 중앙부 위에 25×25×1 mm의 또 다른 유리판을 올리고서 다음의 절차에 따라서 시험을 진행한다. 여기에서, t는 시편을 수조에서 제거한 시간이다.

(a) t+45초: 탄성회복률시험용 기구의 다이얼 게이지 스핀들을 가볍게 내려서 시편 위의 유리판에 닿게 한다.
(b) t+55초: 다이얼 게이지의 눈금을 읽어서 그 값을 h_1이라 한다.
(c) t+60초: 다이얼 게이지 스핀들을 1초 이내에 눌러서 시편을 4.0±0.1 mm 압축시키고 5초 동안 유지한다.
(d) t+66초: 다이얼 게이지 스핀들을 위로 들어 올려서 고정한다.
(e) t+96초: 다이얼 게이지의 스핀들을 가볍게 내려서 시편 위의 유리판에 닿게 한다.
(f) t+106초: 다이얼 게이지의 눈금을 읽어서 그 값을 h_2라 한다.

(2) 유형 3 저점도 부가중합형 실리콘 고무 인상재의 탄성회복률의 시험 절차

① 금속 링과 시편제작용 금형의 내면에 실리콘 그리스를 얇게 바른 다음 셀룰로이드 스트립을 깐 50×50×5 mm 유리판 위에 올려놓는다.

② 자동혼합한 인상재를 내경 20.5 mm × 높이 18.5 mm 금속 링에 절반 이상이 되도록 채우고 시편제작용 금형이 바닥에 접촉할 때까지 눌러 넣어서 인상재가 위로 넘쳐 나오게 한다.

③ 셀룰로이드 스트립과 상부 유리판으로 덮고 압착하여 여분의 재료를 제거한 다음 C-형 클램프로 고정해서 35±1℃ 수조에 침지하고 제조자가 제시한 경화시간 동안 유지한다.

④ 시편의 경화 후 40초 이내에 분리해서 25×25×1 mm 유리판 위에 올리고서 탄성회복률시험용 기구의 측정부 중앙에 오도록 위치시킨다.

⑤ 시편의 중앙부 위에 25×25×1 mm 또 다른 유리판을 올리고서 다음의 절차에 따라서 시험을 진행한다. 여기에서, t는 시편을 수조에서 제거한 시간이다.

(a) t+45초: 다이얼 게이지의 스핀들을 가볍게 내려서 시편 위의 유리판에 닿게 한다.

(b) t+55초: 다이얼 게이지 눈금을 읽어서 그 값을 h_1이라 한다.

(c) t+60초: 1초 이내에 시편을 6±0.1 mm 변형시키고 5초에 걸쳐서 천천히 하중을 제거한 다음 스핀들을 위로 들어 올려서 고정한다.

(d) t+170초: 다이얼 게이지 스핀들을 가볍게 내려서 시편 위의 유리판에 닿게 한다.

(e) t+180초: 다이얼 게이지의 눈금을 0.01 mm까지 읽어서 그 값을 h_2라 한다.

3) 결과의 계산

다음의 식 1-2를 이용하여 탄성회복률을 백분율로 계산한다.

식 1-2

$$K = 100 - \frac{h_1 - h_2}{h_0} \times 100\%$$

여기에서, h_0: 시편제작용 몰드 높이,

h_1: t+55초일 때의 다이얼 게이지 측정값,

h_2: t+180초일 때의 다이얼 게이지 측정값.

4) 시험결과의 평가 및 비교

① 시험결과가 알지네이트 인상재와 유형 3 저점도 부가중합형 실리콘 고무 인상재의 탄성회복률에 대한 요구사항을 만족하는지 조사해보자.

② 알지네이트 인상재와 유형 3 저점도 부가중합형 실리콘 고무 인상재의 탄성회복률의 측정 결과를 비교해보자.

3. 알지네이트 인상재의 점탄성 거동 시험

1) 기초지식

알지네이트 인상재는 점탄성적 성질을 보이므로 인상체를 철거할 때 함몰부를 빠져나오면서 받는 압축력과 철거 후의 유지시간은 영구변형의 정도에 영향을 미칠 수 있다. 본 시험에서는 알지네이트 인상재로 제작한 시편에 순간적으로 20%와 30% 압축변형을 가하고 유지시간 1분과 10분 후의 영구변형 정도를 비교해 보고자 한다.

2) 실습기구 및 재료

알지네이트 인상재, 러버볼과 스파튤라, 계량컵과 계량스푼, 내경 20.5±0.03 mm × 높이 18.5±0.5 mm 금속 링과 내경 12.5±0.05 mm × 높이 20±0.2 mm의 시편제작용 금형(그림 1-8), 다이얼 게이지가 부착되어 있고 시편을 20%까지 압축할 수 있는 탄성회복률시험용 기구(그림 1-12), 50×50×5 mm 유리판 4장과 유리판을 덮을 수 있는 크기의 셀룰로이드 스트립 4장, 슬라이드 글라스를 잘라서 준비한 25×25×1 mm 유리판 4장, C형 클램프 2개, 35±1℃에서 유지되는 수조 등.

3) 시험절차

① 인상재 시편을 20% (4 mm)와 30% (6 mm) 압축할 수 있도록 다이얼 게이지의 눈금을 조절한다.

② 금속 링과 시편제작용 금형의 내면에 실리콘 그리스를 얇게 바른 다음 셀룰로이드 스트립을 깐 유리판 위에 올려놓는다.

③ 알지네이트 인상재를 제조자의 지시에 따라 혼합한 다음 금속 링에 채우고 시편제작용 금형이 바닥에 접촉할 때까지 눌러 넣어서 인상재가 위로 넘쳐 나오게 한다.

④ 셀룰로이드 스트립과 상부 유리판으로 덮고 압착하여 여분의 재료를 제거한 다음 C-형 클램프로 고정해서 35±1℃ 수조에 침지하고 제조자가 제시한 경화시간 동안 유지한다.

⑤ 시편의 경화 후 40초 이내에 분리해서 15×15×1 mm 유리판 위에 올리고서 압축변형률시험용 기구의 측정부 중앙에 오도록 위치시킨다.

⑥ 시편의 중앙부 위에 15×15×1 mm의 또 다른 유리판을 올리고서 다음의 절차에 따라서 시험을 진행한다. 여기에서, t는 시편을 수조에서 제거한 시간이다.

(a) t+45초: 다이얼 게이지의 스핀들을 가볍게 내려서 시편 위의 유리판에 닿게 한다.

(b) t+55초: 다이얼 게이지의 눈금을 읽어서 그 값을 h_1이라 한다.

(c) t+60초: 1초 이내에 각각의 시편을 4.0±0.1 mm와 6.0±0.1 mm 압축하고 5초 동안 유지한다.

(d) t+66초: 다이얼 게이지의 스핀들을 위로 들어 올려서 고정한다.

(e) t+110초: 다이얼 게이지의 스핀들을 가볍게 내려서 시편 위의 유리판에 닿게 한다.

(f) t+120초: 다이얼 게이지의 눈금을 읽어서 그 값을 h_2라 한다.

(g) t+125초: 다이얼 게이지의 스핀들을 위로 들어 올려서 고정한다.

(h) t+650초: 다이얼 게이지 스핀들을 가볍게 내려서 시편 위의 유리판에 닿게 한다.

(i) t+660초: 다이얼 게이지의 눈금을 읽어서 그 값을 h_3라 한다.

4) 결과의 계산

다음의 식 1-3을 이용하여 탄성회복률을 백분율로 계산한다.

식 1-3

$$K = 100 - \frac{h_1 - h_2 \,(\text{또는 } h_3)}{h_0} \times 100\%$$

여기에서, h_0: 시편제작용 금형의 높이,

h_1: t+55초일 때의 다이얼 게이지 측정값,

h_2: t+120초일 때의 다이얼 게이지 측정값,

h_3: t+660초일 때의 다이얼 게이지 측정값.

5) 시험결과의 평가 및 비교

① 알지네이트 인상재 시편의 압축 정도와 압축 후의 유지시간에 따른 탄성회복률을 비교해보자.

② 알지네이트 인상재로 인상을 채득할 때 모형의 정확도를 높이기 위한 조건을 검토해보자.

알지네이트 구입 시 검토사항

상 품 명: 검 토 의 뢰 일:

제 조 회 사: 검 토 결 과:

유   형: 검 토 자:

1. 일반적 사항

1) 일반사항

    (1) 분말은 균질한가?   예 _____ 아니오 _____

    (2) 이물질 유무   예 _____ 아니오 _____

    (3) 무자극성을 입증할 수 있는 내용   예 _____ 아니오 _____

    (4) 제조자가 제시한 혼합시간 내에 작업에 용이한 점조도가 얻어지는가? 예 _____ 아니오 _____

2) 균질성

    (1) 혼합 후 성분 분리가 일어나는가?   예 _____ 아니오 _____

    (2) 혼합한 물질은 균일하고 평활한 면을 가지는가?   예 _____ 아니오 _____

    (3) 혼합 후 덩어리 또는 과립 유무   예 _____ 아니오 _____

2. 사용설명서

    (1) 사용하기 전 조치사항(흔들기 등)에 대한 안내   예 _____ 아니오 _____

    (2) 혼수비   분말(gm) _____ 액(mL) _____

    (3) 혼합시간과 총 작업시간   _____

    (4) 경화시간   _____

    (5) 작업시간   _____

    (6) 온도 변화에 대한 영향   _____

    (7) 모형재 주입 시 주의사항   _____

    (8) 제품과 적합성이 좋은 석고 추천   _____

    (9) 인상재 보관 조건   _____

3. 출하상태

1) 포장

    (1) 포장용기의 밀봉 정도   예 _____ 아니오 _____

    (2) 사용지시서 유무   예 _____ 아니오 _____

2) 표시

    (1) 제품번호   _____

    (2) 제조년월일   _____

    (3) 용량   _____

    (4) 유형표시   _____

    (5) 유효기간   _____

고무 인상재 구입 시 검토사항

상 품 명: 검 토 의 뢰 일:

제 조 회 사: 검 토 결 과:

유   형: 검 토 자:

1. 분말은 균질하고 이물질 또는 덩어리가 없어야 한다.   예 _____ 아니오 _____

2. 요구사항

  1) 성분

    (1) 대비색으로 구성되어 있는가?   예 _____ 아니오 _____

    (2) 튜브 상에서 성분분리가 되어 있는가?   예 _____ 아니오 _____

    (3) 상온에서 쉽게 손으로 짜낼 수 있는가?   예 _____ 아니오 _____

  2) 사용설명서

    (1) 화학적 특성   _____

    (2) 점도와 유형   _____

    (3) 보존이나 취급 시 주의사항 표기   예 _____ 아니오 _____

    (4) 혼합비율   _____

    (5) 혼합기구 및 방법   _____

    (6) 혼합시간 및 작업시간   _____

    (7) 추천하는 치과용 석고   _____

    (8) 보관 조건 및 최대 저장기간   _____

    (9) 소독과정   _____

3. 출하상태

  1) 포장

    (1) 직접용기의 종류   _____

    (2) 청결도   예 _____ 아니오 _____

    (3) 재료의 누출 여부   예 _____ 아니오 _____

  2) 표시

    (1) 상표 및 점주도 유형   _____

    (2) 제조번호 예   예 _____ 아니오 _____

    (3) 제조년월일 및 폐기일 예   예 _____ 아니오 _____

    (4) 총 부피   _____

Chapter

2

석고

- 치과용 석고의 성질을 이해하고 조작방법을 습득한다.
- 치과용 석고의 취급상 차이가 성질의 변화에 미치는 영향에 대하여 살펴본다.

Ⅰ 기초지식

1. 석고의 반응식

석고의 원석인 이수석고($CaSO_4 \cdot 2H_2O$)는 그의 가공방법에 따라서 보통석고(β−반수석고), 경석고(α−반수석고), 초경석고(α′−반수석고)로 분류하고 있다. 하지만 그의 화학식은 모두 $CaSO_4 \cdot \frac{1}{2}H_2O$ (반수석고)로 표시한다(식 2-1).

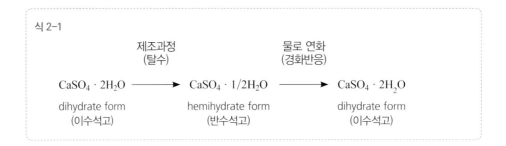

식 2-1

제조과정
(탈수)

물로 연화
(경화반응)

$CaSO_4 \cdot 2H_2O$ $\longrightarrow$ $CaSO_4 \cdot 1/2H_2O$ $\longrightarrow$ $CaSO_4 \cdot 2H_2O$

dihydrate form
(이수석고)

hemihydrate form
(반수석고)

dihydrate form
(이수석고)

2. 경화반응 중의 체적변화

1) 정상경화팽창(그림 2-1)

반수석고를 물과 혼합하면 발열반응이 일어나며 이수석고로 되어서 경화가 일어난다. 화학반응식에 의하면, 반수석고를 물과 혼합하면 이수석고로 전환되는 경화반응의 과정에서 약 7% 체적수축이 일어난다(식 2-2). 초기경화단계 이전에는 수축이 일어나더라도 혼합한 석고의 유동성 때문에 수축이 모형에 반영되지 않는다. 그렇지만, 초기경화 이후에는 석고의 유동성이 사라지고 침상으로 성장하는 결정들이 서로를 밀게 되므로 최종 모형에 팽창이 나타난다. 석고를 표준혼수비의 물로 혼합할 때 나타나는 경화팽창을 정상경화팽창(normal setting expansion)이라 한다.

식 2-2

• 화학식	$(CaSO_4)_2 \cdot H_2O$	$+ 3H_2O \rightarrow$	$2CaSO_4 \cdot 2H_2O$
• 분자량	290.284	54.048	344.322
• 밀도(g/cm²)	2.75	0.997	2.32
• 1 M의 용적	105.556	54.211	148.405

• 반응 전후의 용적변화 $\dfrac{148.405 - 159.767}{159.767} \times 100\% = -7.11\%$

2) 흡수팽창(그림 2-1)

대기 중에서 정상적으로 경화반응이 진행되는 경우 수화반응으로 반수화물 입자 주위의 물이 줄어들면서 입자들은 물의 표면장력으로 인해 서로 더 가까워진 형태를 보이게 된다. 그렇지만 이 시점에 물이 공급되면 결정의 성장이 물의 표면장력에 의해 방해를 받지 않으므로 대기 중에서 경화한 경우보다 팽창이 크게 증가한다.

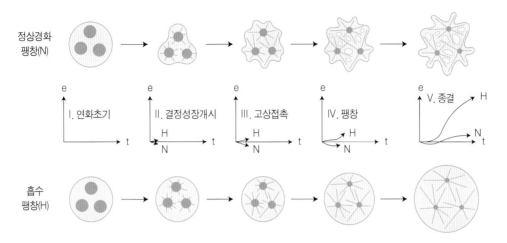

그림 2-1. **정상경화팽창과 흡수팽창을 설명하는 그림.**

3. 경화시간

1) 초기경화시간(initial setting time)
혼합의 개시로부터 혼합물에서 표면광택이 사라지며 유동성이 저하되어 미세한 함몰부위로 침투가 일어나지 않을 때까지의 소요시간을 나타낸다.

2) 최종경화시간(final setting time)
혼합의 개시로부터 혼합물의 반응이 종료될 때까지의 소요시간을 나타낸다.

3) 초기경화시간 측정
석고의 초기경화시간을 측정하기 위하여 다음의 여러 가지 방법들이 이용되고 있다.
① 석고의 수화반응으로 물이 소실됨에 따라서 표면에서 광택이 사라지는 시간을 측정한다.
② 석고의 경화반응이 발열반응이므로 석고 혼합물이 최대온도에 도달하는 시간을 측정한다.
③ 석고의 경화가 진행되며 단단해지므로 일정한 무게의 침이 침투되지 않을 때까지의 시간을 측정한다.

4. 석고의 경화시간 및 크기 변화에 영향을 미치는 요인들
석고의 경화시간 및 경화반응의 과정에서 일어나는 팽창과 수축에 영향을 미치는 여러 가지 요인들을 표 2-1 에 표시하였다.

표 2-1. 석고의 경화시간 및 팽창과 수축에 영향을 미치는 여러 가지 요인들

취급법 / 성질	경화시간	경화팽창
분말입자의 크기가 작으면[1]	짧아진다	작아진다
석고의 slurry액으로 연화하면[2]	짧아진다	작아진다
혼수비(혼수량)가 작아지면[3]	짧아진다	커진다
collodial silica액으로 연화하면	짧아진다	커진다
연화시간이 길어지면[4]	짧아진다	약간 커진다
연화 횟수가 많아지면	짧아진다	약간 커진다
진공(감압)하에서 연화하면	큰 차이가 없다	약간 커진다
수온이 높으면(40℃ 이하)[5]	짧아진다	작아진다
경화촉진제[6]	짧아진다	작아진다
경화지연제	길어진다	작아진다

[1] 분말입자 크기가 작으면 물과 접촉하는 표면적이 증가하므로 경화가 빨라진다.

[2] 이수염이 핵으로 작용하여 결정화가 촉진되므로 경화시간이 짧아진다. 또한 결정이 성장할 시간적 여유를 주지않고 경화가 끝나버리므로 경화팽창이 작아진다.

[3] 혼수비가 적을수록 단위체적당의 결정핵이 많아지고 결정들의 얽힘이 증가하므로 경화시간이 짧아지고 경화팽창이 커진다.

[4] 연화시간이 길고 또한 연화속도가 빠를수록 반수염의 용해속도를 증가시키므로 경화시간이 짧아지고 경화팽창이 커진다. 그러나 연화시간이 과도하게 길어지면 일단 생성된 이수염의 얽힘을 방해하므로 경화가 지연된다. 연화횟수가 300 rpm 이상이 되면 경화팽창이 감소한다.

[5] 수온 40℃까지는 온도상승에 따라 경화가 빨라지나, 50℃ 이상에서는 경화가 늦어지고, 80~100℃에서는 경화가 일어나지 않는다. 수온이나 실온이 높으면 경화가 상대적으로 빨라지므로 경화팽창이 작아진다.

[6] 소량의 무기염류(2% 이하의 NaCl, K_2SO_4, KCl), 이수석고 결정, 12% 이하 Na_2SO_4 등(3.4%일 때 가장 효과적) 등은 경화촉진제로 작용하고, 젤라틴, 아교, 혈액, 타액, 알긴산, 한천 등과 같은 콜로이드계 및 2% $Na_2B_4O_7 \cdot 10H_2O$ (Borex), 고농도 NaCl 등은 경화지연제 역할을 한다. 콜로이드계 물질은 결정핵에 대하여 피막을 형성하는 역할을 하므로 경화가 지연된다.

II 치과용 석고의 분류 및 요구사항

1. 분류

ISO 6873:2013(E)에서는 치과용 석고산물을 다음과 같이 5종류로 분류하고 있다.
유형 1 : 인상용 플라스터
유형 2 등급 1 : 마운팅용 플라스터
유형 2 등급 2 : 모형용 플라스터
유형 3 : 모형용 경석고
유형 4 : 다이용 경석고 – 고강도 저팽창
유형 5 : 다이용 경석고 – 고강도 고팽창

2. 요구사항

ISO 6873:2013(E)에서 규정하고 있는 치과용 석고의 성질에 대한 요구사항들을 표 2-2에 표시하였다.

표 2-2. **치과용 석고의 성질에 대한 요구사항**

유형	초기경화시간 (분)	경화팽창 (%)				압축강도 (MPa)		미세부재현성 (μm)
		2시간		24시간		1시간		
		최소	최대	최소	최대	최소	최대	
유형 1	2.5~5	0.00	0.15	–	–	4.0	8.0	75±8
유형 2 등급 1	제조자 제시 값의 ±20%	0.00	0.05	–	–	9.0	–	75±8
유형 2 등급 2	제조자 제시 값의 ±20%	0.06	0.30	–	–	9.0	–	75±8
유형 3	제조자 제시 값의 ±20%	0.00	0.20	–	–	20.0	–	50±8
유형 4	제조자 제시 값의 ±20%	0.00	0.15	0.00	0.18	35.0	–	50±8
유형 5	제조자 제시 값의 ±20%	0.16	0.30	–	–	35.0	–	50±8

Ⅲ 실습내용

1. 경화반응 중에 일어나는 석고 결정의 형상 변화 관찰

1) 실습기구 및 재료

보통석고, 경석고, 초경석고, 슬라이드 글라스, 광학현미경 등.

2) 시험절차

① 물 30 ml에 석고 분말 1 g을 넣고 혼합한 다음 슬라이드 글라스 위에 한 방울을 떨어뜨리고 cover glass로 덮는다.

② 광학현미경을 사용하여 석고 입자의 형상 변화를 5분 간격으로 30분 동안 관찰한다.

3) 관찰 결과

시간이 경과함에 따라서 보통석고에서는 결정들이 침상으로 길게 성장되었지만(그림 2-2) 경석고에서는 짧게 생성되는 양상을 보였다(그림 2-3).

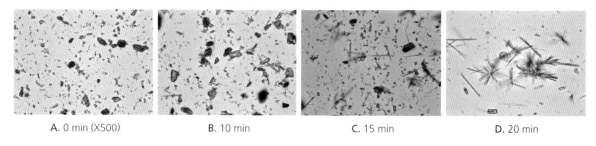

| A. 0 min (X500) | B. 10 min | C. 15 min | D. 20 min |

그림 2-2. 보통석고를 물과 혼합했을 때의 변화.

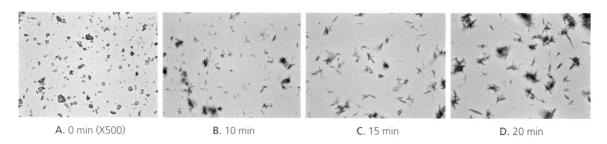

| A. 0 min (X500) | B. 10 min | C. 15 min | D. 20 min |

그림 2-3. 경석고를 물과 혼합했을 때의 변화.

4) 시험결과의 평가 및 비교

① 보통석고와 경석고의 경화반응 중에 일어나는 입자의 형상 변화를 비교해보자.

② 경화촉진제와 경화지연제의 영향에 대하여 조사해보자.

③ 혼합하는 물의 온도변화의 영향에 대하여 조사해보자.

2. 초기경화시간 시험

1) 실습기구 및 재료

보통석고, 경석고, 초경석고, 러버볼과 스파튤라, 150×150×5 mm 유리판, 상부와 하부의 내부직경이 70 mm와 60 mm이고 높이가 40 mm인 원추형 금형, 비카트 침 장치(그림 2-4), 60 Hz에서 작동하는 치과용 진동기, 실리콘 그리스 등.

2) 시험절차

① 150×150×5 mm 유리판과 원추형 금형의 표면에 실리콘 그리스를 얇고 균일하게 바른 다음 원추형 금형을 유리판 위에 올려놓는다.

② 석고 300 g을 제조자가 제시한 표준혼수비 조건으로 혼합한 다음 원추형 금형에 약간 넘치도록 채우고 윗면을 편평하게 고른다. 침 끝이 석고 표면에 오도록 한 상태에서 비카트 침의 영점을 조절한다(그림 2-5).

③ 제조자가 제시한 경화시간의 2분 전부터 시작하여 15±1초 간격으로 석고 혼합물에 침을 침투시킨다(그림 2-6). 침의 투입 부위는 금형의 벽면이나 이전에 투입한 곳으로부터 적어도 5 mm 이상 떨어져야 하며, 투입 후에는 침을 깨끗하게 닦는다.

④ 혼합을 개시한 시점으로부터 침이 2 mm 이상 투입되지 않을 때까지의 시간을 초기경화시간으로 기록한다.

3) 시험결과의 평가 및 비교

① 초기경화시간의 측정 값이 제조자가 제시한 값의 20% 범위 이내에 있는지 확인해보자.

② 혼수량의 증가가 초기경화시간의 변화에 미치는 영향에 대하여 조사해보자.

   (a) 보통석고는 물 1 ml 추가.

   (b) 경석고와 초경석고는 물 0.5 ml 추가.

③ 물 대신 2% K_2SO_4 수용액(경화촉진제)과 2% $Na_2B_4O_7 \cdot 6H_2O$ (경화지연제) 수용액을 사용하여 혼합했을 때 일어나는 초기경화시간의 변화를 조사해보자.

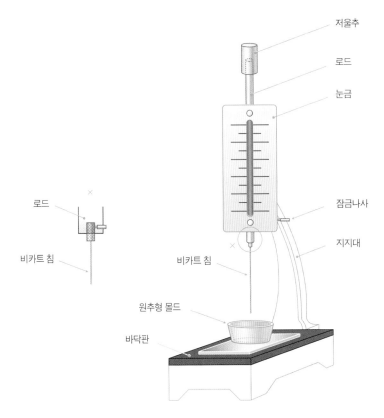

로드

비카트 침

저울추

로드

눈금

잠금나사

지지대

비카트 침

원추형 몰드

바닥판

그림 2-4. **비카트 침 장치의 모식도.**

그림 2-5.

그림 2-6.

3. 경화팽창률 시험

1) 실습기구 및 재료

보통석고, 경석고, 초경석고, 러버볼과 스파튤라, 150×150×5 mm 유리판, 폴리에틸렌 시트, 경화팽창시험기(그림 2-7), 60 Hz에서 작동하는 치과용 진동기, 실리콘 그리스 등.

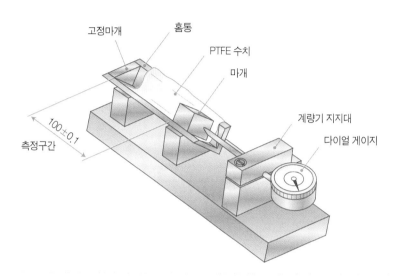

그림 2-7. **경화팽창시험기 모식도.**

2) 시험절차

① V-홈통의 간격이 100 mm인 경화팽창시험기의 석고 접촉부에 실리콘 그리스를 얇고 균일하게 도포한 다음 홈통의 내면에 폴리에틸렌 시트를 깔고 가동단(stopper)을 위치시킨 다음 다이얼 게이지의 영점을 조절한다(그림 2-8).

주의 측정 중 다이얼 게이지가 움직이지 않도록 고정나사에 적당한 정도의 힘을 가하여 고정한다. 고정력이 너무 크면 다이얼 게이지의 축이 움직이지 않을 수 있으므로 주의가 필요하다.

② 제조자가 제시한 조건에 따라서 석고를 혼합한 다음 V-홈통에 채우고 상면을 편평하게 고른다(그림 2-9).
③ 측정은 시험의 편의상 혼합을 개시한 시점으로부터 30분 동안 실시한다.
④ 아래의 식 2-3을 이용하여 경화팽창률을 계산한다.

식 2-3

$$경화팽창률(\%) = \frac{나중길이 - 처음길이}{처음길이} \times 100\%$$

3) 시험결과의 평가 및 비교

① 측정한 값이 표 2-2의 경화팽창률에 대한 요구사항을 만족하는지 확인해보자.

② 혼수량 증가가 경화팽창률의 변화에 미치는 영향에 대하여 조사해보자.

   (a) 보통석고는 물 1 ml 추가.

   (b) 경석고와 초경석고는 물 0.5 ml 추가.

② 물 대신 2% K_2SO_4 수용액(경화촉진제)과 2% $Na_2B_4O_7 \cdot 6H_2O$ (경화지연제) 수용액을 사용하여 혼합했을 때의 경화팽창률 변화를 조사해보자.

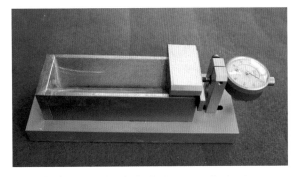

그림 2-8.

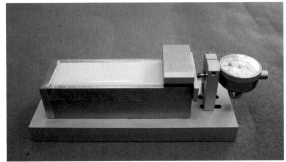

그림 2-9.

4. 미세부 재현성 시험

1) 실습기구 및 재료

알지네이트 인상재, 러버볼과 스파튤라, 계량컵과 계량스푼, 제3형 저점도 부가중합형 실리콘 인상재와 자동혼합기, 미세부 재현성 시험용 블록(그림 2-10)과 모형제작용 링 금형, 브러쉬, $50 \times 50 \times 5$ mm 유리판, $36 \pm 1\,℃$에서 유지되는 수조, 콤프레셔, 측정용 현미경 등.

2) 시험절차

① 미세부 재현성 시험용 블록 A에서 눈금이 표시된 표면을 브러쉬로 닦아서 청결하게 한 다음 시험 전 5분 동

안 36±1℃에서 유지한다.

② 50×50×5 mm 유리판에 링 금형 B를 올려놓고 제조자의 지시에 따라 인상재를 혼합한 다음 약간 넘치도록 채우고 표면을 편평하게 한 다음 시험용 블록 A를 위치시키고 1,500 g 하중을 5±1초 동안 가한다.

③ 인상재의 경화 후 변형이 최소화되도록 유지하며 시험용 블록 A를 분리하고 평가를 위한 세선이 명확하게 재현되었는지 확인한다(그림 2-11).

④ 인상체의 표면을 물로 씻어내고 여분의 물기를 에어로 불어서 제거하고 모형제작용의 링 금형에 장착한다(그림 2-12).

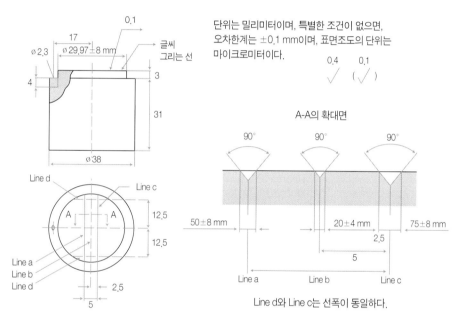

(a) 시험용 블록 A

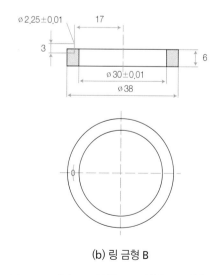

(b) 링 금형 B

그림 2-10. 미세부 재현성 시험용 블록에 대한 도면.

⑤ 석고를 제조자의 지시에 따라 균일하게 혼합한 다음 가볍게 진동을 주며 주입하고 실내(온도 23±2℃, 상대습도 50±10% 공기 중)에서 30분 동안 보관한다(그림 2-13).

⑥ 석고 모형 상의 횡선 d-d 사이에서 세선의 재현 상태를 현미경으로 관찰한다(그림 2-14).

그림 2-11.

그림 2-12.

그림 2-13.

그림 2-14.

3) 시험결과의 평가 및 비교

① 시험결과가 표 2-2의 미세부 재현성에 대한 요구사항을 만족하는지 확인해보자.

② 알지네이트 인상재와 석고를 혼합할 때 표준혼합 절차를 따랐을 때와 표준혼합 절차를 따르지 않았을 때의 차이를 비교해보자. 표준혼합절차를 따르지 않는 경우에는 러버볼에 분말을 넣고 표준혼합 시와 유사한 정도의 물을 붓고 혼합을 한다.

석고 구입 시 검토사항

상 품 명: 검 토 의 뢰 일:

제 조 회 사: 검 토 결 과:

유   형: 검 토   자:

1. 일반적 사항

1) 균질성

(1) 분말은 균질한가?   예 _____ 아니오 _____

(2) 이물질이나 덩어리 유무   예 _____ 아니오 _____

2) 경화 후의 색   _____

3) 향기   예 _____ 아니오 _____

2. 사용설명서

1) 저장조건   _____

2) 혼수비   _____

3) 혼합방법과 시간   _____

4) 경화시간   _____

5) 경화팽창율   _____

6) 그 외 특수처리방법

3. 출하상태

1) 포장

(1) 포장용기의 밀봉정도   예 _____ 아니오 _____

(2) 사용지시서 유   예 _____ 아니오 _____

2) 표시

(1) 제품 질량   _____

(2) 제품번호   _____

(3) 제조년월일   _____

(4) 총 무게   _____

(5) 물리적 성질   _____

(6) 보관조건   _____

Chapter

3

왁스

실 습 목 적
- 왁스의 성질을 이해하고 조작방법을 습득한다.
- 왁스의 취급상의 차이가 성질에 미치는 영향에 대하여 조사한다.

I 기초지식

1. 용도에 따른 분류

치과 수복물을 제작하는 과정에서 여러 종류의 왁스 제품이 보조적으로 사용되며, 용도에 따라 패턴용(pattern), 작업용(processing) 및 인상용(impression)으로 나눈다. 보철물이나 장치물의 주조를 위한 패턴을 준비할 때 주조 왁스를 사용하며 경우에 따라서는 패턴용 레진을 사용하기도 한다. 베이스플레이트 왁스는 주로 의치를 제작할 때 수직고경, 교합평면 및 초기 악궁의 형태를 확립하기 위해 사용한다. 작업용 왁스는 수복물을 제작하는 작업의 여러 단계에서 편리하게 사용할 수 있도록 만들어진 왁스로서, 박싱 왁스, 유틸리티 왁스, 스티키 왁스 등이 있다. 박싱 왁스(boxing wax)는 길고 얇은 띠 형태의 판상 왁스로서, 무치악 인상체에 석고를 부어서 모형을 준비할 때 인상체 주위로 석고가 흘러내리는 것을 막아주기 위해서 사용한다. 유틸리티 왁스(utility wax)는 실온에서 쉽게 구부러지고 부착성이 있으므로 보조적인 용도로 사용한다. 스티키 왁스(sticky wax)는 실온에서는 단단하여 부서지지만 녹았을 때는 양호한 접착력을 가지므로 금속이나 레진으로 만들어진 부품 등을 임시적으로 부착할 때 사용한다. 인상용 왁스 중 수정인상용 왁스(corrective impression wax)는 1차 인상을 채득한 후 연조직을 정밀하게 인기하기 위해서 사용하고, 교합인기용 왁스(bite registration wax)는 상악과 하악의 교합관계를 인기하기 위해서 사용한다.

2. 왁스의 조성과 성질

치과용 왁스는 분자량이 큰 유기물질들로 구성이 되며, 용도에 따라 적절한 성질을 얻기 위해서 광물성 왁스, 식물성 왁스, 곤충 왁스 등의 천연 왁스에 합성 왁스, 고무, 지방산, 수지, 오일, 색소 등을 혼합하여 제조한다. 치과용 왁스의 제조에 사용하는 광물성 왁스로는 파라핀, 미세결정, 반달, 세레진, 오조케라이트 왁스 등이 있고 식물성 왁스로는 카나우바, 칸델리아, 오우리쿠리 왁스 등이 있다.

치과용 왁스는 유사한 분자량의 물질들로 구성되기 때문에 일정한 용융점을 갖지 않고 용해온도의 범위를 갖는다. 용융온도가 높은 성분의 함량이 증가할수록 전체적인 용해온도의 범위가 상승한다. 왁스는 열팽창계수가 크므로 온도의 변화에 따라 팽창과 수축이 큰 재료이다. 광물성 왁스는 분자들이 약한 2차 결합을 하므로 구성 성분 중에서 광물성 왁스의 함량이 증가하면 열팽창계수가 증가한다. 반면 식물성 왁스는 에스테르 결합의 비율이 높아서 강한 2차 결합을 하므로 식물성 왁스의 함량이 증가하면 열팽창계수가 감소한다. 치과용 왁스는 열팽창계수가 매우 크지만 탄성계수와 압축강도는 매우 낮다.

1) 천연 왁스

(1) 파라핀 왁스(paraffin wax)

석유에서 분리 정제한 것으로서, 탄소원자의 수가 26–30인 탄화수소 혼합물을 일컫는다. 40–71℃에서 용해되며, 분자량이 클수록 용융온도가 높다. 왁스 중에 오일이 존재하면 융점이 저하되며, 치과용 파라핀 왁스는 오일을 0.5% 이하로 함유한다.

(2) 미세결정 왁스(microcrystalline wax)

석유에서 분리 정제한 것으로서 41–50개의 탄소원자를 포함하며, 용해온도의 범위가 61–91℃로서 높은 편이다. 파라핀 왁스보다 질기고 유연하며, 응고할 때의 체적변화는 파라핀 왁스보다 작다.

(3) 카나우바 왁스(carnauba wax)

경도가 높고 부서지기 쉬운 무정형의 식물성 왁스이다. 용해온도의 범위는 84–91℃로 높은 편이며, 파라핀 왁스에 첨가하면 경도와 용해온도의 범위는 크게 상승된다. 20℃의 용해온도 범위를 갖는 파라핀 왁스에 카나우바 왁스를 10% 첨가하면 용해온도의 범위는 46℃까지 증가된다.

(4) 밀납(bees wax)

꿀벌의 복부에 있는 납샘에서 분비되는 왁스로서 용해온도의 범위는 63-70℃이다. 상온에서 부서지기 쉽지만 체온에서는 가소성을 갖는다. 접착용 왁스의 주성분이다.

2) 합성 왁스

합성 왁스는 다양한 조성의 유기합성물질로서, 화학적으로는 천연 왁스와 다르지만 융해온도나 경도 등의 성질은 유사하다. 합성 왁스로는 폴리에틸렌 왁스, 폴리옥시에틸렌글리콜 왁스, 할로겐화 탄화수소 왁스, 하이드로겐화 왁스, 왁스 에스테르 등이 사용되고 있다.

3) 천연수지

담마르(dammar), 송진(rosin), 산다락(sandarac) 등의 식물성 레진과 곤충에서 얻어지는 셀락(shellac) 등이 사용되고 있다. 비교적 융점이 높고, 왁스에 혼합하면 왁스를 단단하게 만든다.

II 치과용 왁스의 분류 및 요구사항

1. 분류

ISO 15854:2005(E)에서는 주조용 왁스와 베이스 플레이트 왁스의 종류와 성질에 대하여 규정하고 있다. 유형 1은 주조용 왁스이며 등급 1은 연질, 등급 2는 경질로 분류한다. 유형 2는 베이스플레이트 왁스이며 등급 1은 연질, 등급 2는 경질, 등급 3은 초경질로 분류한다.

2. 요구사항

표 3-1은 주조용 왁스와 베이스 플레이트 왁스의 유동성에 대한 요구사항이다. 유형 1 등급 1의 연질 주조 왁스의 유동성은 30℃에서 최대 1%, 40℃에서 최소 50%, 45℃에서 최소 70%, 최대 90%가 되어야 한다. 유형 1 등급 2 경질 주조 왁스의 유동성은 37℃에서 최대 1%, 40℃에서는 최대 20%, 45℃에서 최소 70%, 최대 90% 범위가 되어야 한다. 유형 2 베이스 플레이트 왁스의 유동성을 살펴보면, 등급 1 연질은 23℃에서 최대 1%, 그리고 37℃에서 최소 5%, 최대 90%가 되어야 한다. 등급 2 경질은 23℃에서 최대 0.6%, 37℃에서 최대 10%, 그리고 45℃에서 최소 50%, 최대 90%가 되어야 한다. 등급 3 초경질은 23℃에서 최대 0.2%, 37℃에서 최대 1.2%, 그리고 45℃에서 최소 5%, 최대 50%가 되어야 한다.

표 3-1. 주조 왁스와 베이스플레이트 왁스의 유동성에 요구사항

Temperature	Type 1 Casting wax				Type 2 Baseplate wax					
	Class 1		Class 2		Class 1		Class 2		Class 3	
	Min.	Max.	Min.	Max.	Min.	Max.	Min.	Max.	Min.	Max.
℃	%	%	%	%	%	%	%	%	%	%
23.0 ± 0.1	–	–	–	–	–	1.0	–	0.6	–	0.2
30.0 ± 0.1	–	1.0	–	–	–	–	–	–	–	–
37.0 ± 0.1	–	–	–	1.0	5.0	90.0	–	10.0	–	1.2
40.0 ± 0.1	50.0	–	–	20.0	–	–	–	–	–	–
45.0 ± 0.1	70.0	90.0	70.0	90.0	–	–	50.0	90.0	5.0	50.0

Ⅲ 실습내용

1. 유동성 시험

1) 실습기구 및 재료

연질 주조 왁스, 베이스플레이트 왁스, 왁스 조각도, 기공용 버너, 용해 냄비(그림 3-1), 항온수조, 커터칼, 온도계, 실리콘 그리스, 버니어 켈리퍼스, 알코올램프, 100×100×5 mm 유리판, 슬라이드 글라스를 잘라서 준비한 15×15×1 mm 유리판 2매, 마이크로미터, 정하중장치와 무게 1 kg 저울추(그림 3-2), 유동성 시험용 시편제작 금형(내경 6 mm × 높이 10 mm, 그림 3-3) 등.

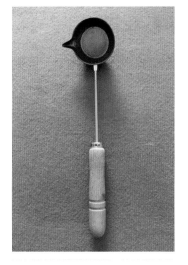

그림 3-1.

그림 3-2.

2) 시험절차

① 유리판과 금형(내경 6 mm × 높이 10 mm)에 실리콘 그리스를 얇게 도포한 다음 금형을 유리판 위에 올려놓는다(그림 3-3). 금형의 온도가 낮을 경우 시편의 형상이 정확하게 재현되지 않을 수 있으므로 용융된 왁스를 주입하기 전 유리판과 금형을 55±5℃로 가온한다.

② 용해 냄비에 충분한 양의 왁스를 넣고 가열하여 용해한 다음 금형에 약간 넘치도록 채우고 수축이 일어나면 왁스를 보충한다(그림 3-4). 이후 55±5℃로 가온한 유리판으로 덮고 49 N 하중으로 5분 동안 가압한 다음 유리판을 제거하고 시편과 금형이 같은 높이가 되도록 커터칼을 달구어서 표면을 마무리한다. 금형을 10℃ 물에 넣어서 1분 동안 냉각한 다음 시편을 분리한다(그림 3-5).

③ 준비한 시편과 정방형의 슬라이드 글라스 2매를 23±2℃ 물속에서 5분간 유지한 다음 두께 t_1을 마이크로미터로 측정한다(그림 3-6).

④ 정하중장치(무게 2 kg)와 유리판을 각각 30℃, 37℃, 40℃ 및 45℃에서 유지되는 항온 수조에 넣고 5분 동안 유지한다(그림 3-7).

⑤ 왁스 시편을 슬라이드 글라스 사이에 끼우고 정하중장치의 측정부에 올려놓은 다음 2 kg의 정하중을 10분 동안 가하고서 마이크로미터로 두께 t_2를 측정한다(그림 3-8).

⑥ 왁스 시편의 가압단축률을 식 3-1로부터 계산한다.

식 3-1

$$가압단축률 = \frac{t_2 - t_1}{t_1} \times 100\%$$

주의 용해 냄비에 다른 종류의 왁스가 부착되어 있을 때는 버너로 가열하여 왁스를 완전히 제거한 다음 사용한다.

3) 시험결과의 평가 및 비교

① 시험결과가 표 3-1의 유동성에 대한 요구사항을 만족하는지 확인해보자.

② 제조회사가 다른 2종류 주조용 왁스의 유동성을 비교해보자.

그림 3-3.

그림 3-4.

그림 3-5.

그림 3-6.

그림 3-7.

그림 3-8.

2. 왁스의 잔류응력에 의한 변형 시험

1) 실습기구 및 재료

연질 주조 왁스, 베이스플레이트 왁스, 왁스 조각도, 기공용 버너, 용해 냄비, 항온수조, 커터칼, 온도계, 실리콘 그리스, 버니어 켈리퍼스, 알코올 램프, $100 \times 100 \times 5$ mm 유리판, 마이크로미터, 시편제작용 금속제 금형 (내부치수 $5 \times 5 \times 65$ mm), 시멘트 혼합용 유리판, bending zig (외경 23 mm) 등.

2) 시험절차

① 시편제작용 금형의 내부에 실리콘 그리스를 얇게 도포한 다음 유리판 위에 올려놓는다(그림 3-9). 금형의 온도가 낮을 경우 시편의 형상이 정확하게 재현되지 않을 수 있으므로 용융된 왁스를 주입하기 전 유리판과 금형을 55 ± 5℃로 가온한다.

② 충분한 양의 왁스를 용해 냄비에 넣고 가열하여 용해한 다음 금형에 약간 넘치도록 채우고 수축이 일어나면 왁스를 보충한다(그림 3-10). 표면이 어느 정도 경화되었을 때 55 ± 5℃로 가온한 유리판으로 덮고 49 N 하중으로 5분 동안 가압한 다음 유리판을 제거한다(그림 3-11). 시편과 금형이 같은 높이가 되도록 커터칼을 달구어서 표면을 마무리한다. 금형을 10℃ 물에 넣어서 1분 동안 냉각한 다음 시편을 분리한다(그림 3-12).

③ 준비한 시편과 bending zig를 각각 37, 40, 45℃에서 유지되는 항온수조에 5분 동안 침지한 다음 수중에서 bending zig에 맞추어서 20초에 걸쳐서 천천히 구부리고(그림 3-13), 반원형의 내측거리 a를 측정한다.

④ 구부린 시편을 50℃ 항온 수조에 넣고 5분 동안 유지한 다음 열린 거리 b를 측정한다.

⑤ 변형량 b−a를 계산한다(그림 3-14).

3) 시험결과의 평가 및 비교

① 소정의 온도에서 왁스 시편을 구부린 다음 가온했을 때 나타나는 변형량으로부터 조작 온도가 잔류응력에 미치는 영향을 조사해보자.

② 왁스 패턴 내부의 잔류응력을 감소시키기 위해 필요한 조건들을 조사해보자.

그림 3-9.

그림 3-10.

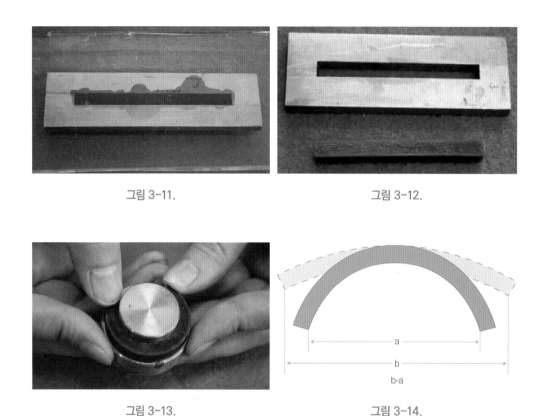

그림 3-11.

그림 3-12.

그림 3-13.

그림 3-14.

3. Wax-up을 하여 준비한 단일치 크라운 패턴의 잔류응력에 의한 변형 시험

1) 실습기구 및 재료

연질 주조 왁스, 왁스 조각도, 유틸리티 왁스, 기공용 버너, 시편 제작용의 단일 지대치 금형(그림 3-15), 퍼티 및 유형 3 저점도 부가중합형 실리콘 고무 인상재와 자동혼합기, 초경석고, 알코올 램프, 측정용 현미경(1/100 mm 까지 측정 가능한 것) 등.

2) 시험절차

① 금속제 금형에 실리콘 그리스를 얇게 도포하고 변연부를 block out하고서 퍼티 실리콘 고무 인상재로 금형의 1차 인상을 채득한다.

② 1차 인상체에 저점도 부가중합형 실리콘 고무 인상재를 자동혼합하여 절반 정도 채우고 금형을 압착하여 최종 인상을 채득한다. 인상재의 경화 후 금형을 분리하고 인상체 표면을 물로 씻어내고 air syringe로 가볍게 불어서 여분의 물기를 제거한다.

③ 초경석고를 제조자가 제시한 표준혼수비 조건으로 혼합한 다음 실리콘 고무 인상체에 진동을 가하며 주입하여 다이 2개를 준비한다.

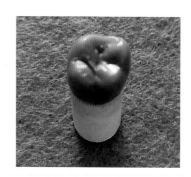

그림 3-15.	그림 3-16.	그림 3-17.

④ 초경석고 다이에 분리제를 얇게 도포하고(그림 3-16), wax-up하여 크라운 시편의 왁스 패턴 2개를 준비한
다(그림 3-17).

⑤ 왁스 패턴이 변형되지 않도록 주의하며 다이에서 분리한다.

⑥ 1개의 왁스 패턴은 다이에서 분리하여 유지하고 또 다른 1개의 왁스 패턴은 초경석고 다이 상에서 유지한다.

⑦ 분리 직후로부터 1시간 경과 시까지는 10분 간격으로 분리간격을 측정하고 이후에는 30분 간격으로 분리
간격을 측정한 후 눈금종이에 경과시간-분리간격의 관계로 그래프를 그린다.

3) 왁스 패턴의 수축률 측정(그림 3-18)

① 왁스 패턴을 석고 다이에 가볍게 끼워 맞추고서 분리간격 α와 β를 측정한다. 일반적으로 α는 β와 거의 같다.

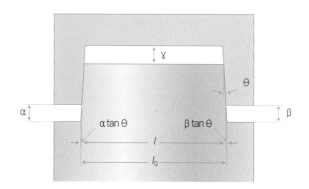

그림 3-18. **왁스 패턴의 분리간격 측정.**

② 왁스 시편의 수축률 Δ는 식 3-2로부터 계산한다.

식 3-2

$$\Delta = \frac{l - l_0}{l_0} \times 100\% = -\frac{(\alpha\tan\theta + \beta\tan\theta)}{l_0} \times 100\% = -\frac{2\alpha\tan\theta}{l_0} \times 100\%$$

여기에서, l_0는 다이 변연부의 직경이고 α는 분리간격이다. 만약 분리간격이 일정하지 않은 경우 α와 β는 각각 최대와 최소의 분리간격이다.

4) 시험결과의 평가 및 비교

① 패턴을 다이에서 분리하여 방치한 경우와 다이 상에 끼운 상태에서 유지한 경우의 분리간격의 차이를 비교해보자.

② 분리간격에서 차이가 있었다면 분리간격에 영향을 미치는 인자들을 조사해보자.

왁스 구입 시 검토사항

상 품 명: 검토의뢰일:

제조회사: 검 토 결 과:

유   형: 검 토 자:

1. 일반적인 요구사항

  1) 일반사항

    (1) 균일하며 이물질은 없는가?   예 _____ 아니오 _____

    (2) 크기는 일정한가?   예 _____ 아니오 _____

  2) 색

  3) 연화 시 층이 지거나 flake가 생기는가?   예 _____ 아니오 _____

  4) 23±2℃에서 미세한 마진을 다듬을 때 조각이 생기는가? 예 _____ 아니오 _____

2. 사용설명서

  1) 연화온도

  2) 작업온도

  3) 22~37℃ 범위에서의 열팽창계수

3. 출하상태

  1) 포장

    (1) 왁스를 손상이나 오염으로부터 보호할 수 있나? 예 _____ 아니오 _____

  2) 표시

    (1) 제품번호

    (2) 제조년월일 및 폐기일

    (3) 총무게 또는 개수

    (4) 유형과 등급

    (5) 추천하는 보관 조건

Chapter

4

매몰재

- 매몰재의 성질을 이해하고 조작방법을 습득한다.
- 매몰재의 취급상의 차이가 성질에 미치는 영향에 대하여 공부한다.

I 기초지식

매몰재는 고정성 보철물의 주조, 가철성 장치물의 주조, 납착을 위한 고정 및 내화성 다이의 제작 등에 사용한다. 매몰재의 주성분은 내화재인 실리카로서 모든 종류의 매몰재에서 공통적으로 사용한다. 하지만 실리카는 점결성이 없어서 형태를 유지할 수 없기 때문에 결합재와 함께 섞어서 사용한다. 매몰재는 결합재의 종류에 따라 석고계, 인산염계 및 실리카계로 분류한다. 또한 매몰재는 용도에 따라서 저온 주조용, 고온 주조용, 납착용 및 내화성 다이 재료로 분류하고 있다. 석고계 매몰재는 내화성이 낮으므로 주로 융점이 낮은 금합금의 주조에 사용하고, 인산염계 매몰재는 석고계 매몰재보다 내화성이 있기 때문에 융점이 높은 비귀금속 합금의 주조에 사용한다.

1. 내화재 실리카의 다형전이

실리카는 지구 표층에 가장 많이 존재하는 원소인 실리콘(Si)과 산소(O)로 구성된 물질로서 단위정인 규산 사면체(SiO_4^{4-}, 그림 4-1) 중의 산소원자 4개 모두가 다른 사면체들에 공유되어 중성의 규산염이 된 것이다. 실리카는 규소와 산소의 비율이 전체적으로 1:2이므로 SiO_2라고 표시한다. 실리카에는 결정구조가 서로 다른 몇 가지의 다형이 존재한다. 그림 4-2는 실리카 동소체들의 온도 변화에 따라 일어나는 α→β 상전이 및 선팽창률의 변화를 나타낸 것이다. α→β 상전이로 인한 최대 팽창은 α-cristobalite가 β-cristobalite로 변화할 때 얻어진다.

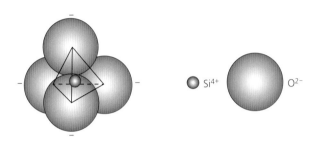

그림 4-1. **규산 사면체(SiO_4^{4-}) 구조.**

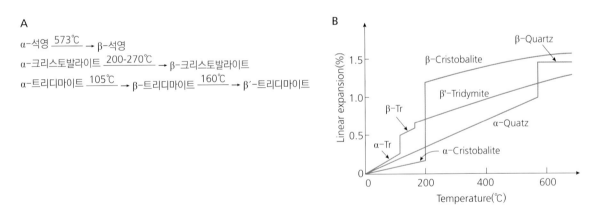

그림 4-2. **실리카 동소체들의 $α→β$ 상전이가 일어나는 온도(A) 및 온도의 상승 시 일어나는 선팽창률의 변화(B).**

2. 석고계 매몰재

석고계 매몰재의 조성을 살펴보면, 내화재로서 석영(quartz), 크리스토발라이트(cirstobalite) 또는 이 둘의 혼합물 65-75%, 결합재로서 α-반수석고 25~35%, 그리고 기타 화학조절제 2~3%를 함유한다. 매몰재의 경화는 석고의 경화반응으로 일어나므로 물과 혼합하면 반수석고가 이수석고로 바뀌면서 경화가 일어난다. 석고계 매몰재는 융점 1,000℃ 이하 합금의 주조에 사용한다.

석고계 매몰재로 준비한 주형에서는 소환을 위한 가열 과정에서 수분의 증발, 가스의 발생 및 석고의 탈수전이 등으로 인하여 수축이 일어나고 또한 주조과정에서는 용융된 금속에서 응고수축이 일어나므로, 이들 수축이 보상되지 않으면 제작된 수복물은 적합이 불량하게 된다. 이러한 수축들은 결합재 석고의 경화팽창, 흡수팽창 및 내화재 실리카의 상전이로 인한 역팽창에 의해서 보상이 된다.

3. 인산염계 매몰재

인산염계 매몰재는 내화재로서 석영, 크리스토발라이트 또는 이 둘의 혼합물 75-80%, 결합재로서 가용성의 제1인산암모늄과 산화마그네슘 10-20%를 함유한다. 매몰재 분말을 물 또는 콜로이드 실리카 함유 전용액으로 혼합하면 제1인산암모늄과 산화마그네슘(MgO)의 반응으로 불용성의 인산마그네슘암모늄육수염 ($NH_4MgPO_4 \cdot 6H_2O$)이 생성되고 이것이 실온에서 결합재로 작용하여 매몰재에 초기강도를 부여한다.

인산염계 매몰재를 물로 혼합한 경우에는 소환을 위해 가열하는 과정에서 수분의 증발, 결합재 인산염에서 일어나는 암모니아와 수증기의 배출, 피로인산마그네슘의 생성과 결정화 등으로 인해 수축이 일어나고, 이것이 내화재 실리카의 상전이에 의한 팽창만으로는 충분하게 보상되지 못하기 때문에 주조한 수복물은 적합이 불량할 수 있다. 하지만 인산염계 매몰재를 혼합할 때 물 대신 콜로이드 실리카 함유 수용액을 사용하면 콜로이드 실리카의 겔화반응과 함께 가열하는 과정에서 일어나는 실리카의 상전이로 인한 역팽창으로 인하여 경화팽창과 열팽창이 증가하므로 주조한 수복물은 적합도가 개선된다(그림 4-3).

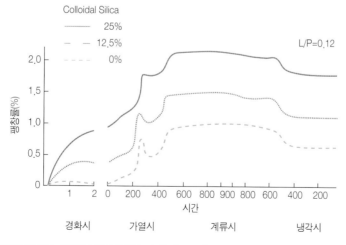

그림 4-3. 인산염계 매몰재를 물 및 콜로이드 실리카 함유 수용액으로 혼합했을 때 가열과정에서 일어나는 경화팽창률과 열팽창률의 변화.

II 치과용 매몰재의 분류 및 요구사항

1. 분류

ISO 15912에서는 치과용 매몰재를 다음의 4가지 유형으로 분류하고 있다. 유형 1은 인레이, 크라운 및 다른 고정성 치과보철물의 주조에 사용하는 매몰재이다. 유형 2는 총의치, 국소의치 또는 다른 가철성 장치물의 주조에 사용하는 매몰재이다. 유형 3은 납착과정에서 사용하는 매몰재이고, 유형 4는 내화성 다이의 제작에 사용하는 매몰재이다.

2. 요구사항

ISO 15912에서 규정하고 있는 치과용 매몰재의 성질에 대한 요구사항을 표 4-1에 표시하였다.

표 4-1. **치과용 매몰재의 성질에 대한 요구사항**

시험항목	기준
유동성	제조자가 제시한 값의 30% 이내.
초기경화시간	제조자가 제시한 값의 30% 이내.
압축강도	제조자가 제시한 값의 70% 이하가 되지 않아야 함. 제조자가 값을 제시하지 않은 경우 2 MPa 이상이 되어야 함.
선열팽창률	제조자가 제시한 값의 15% 이내. 제조자가 범위를 제시한 경우 중앙값의 15% 범위 이내가 되어야 함.

Ⅲ 실습내용

1. 유동성 시험

1) 실습기구 및 재료

석고계 매몰재, 인산염계 매몰재, 내경 35±1 mm × 높이 50±1 mm의 부식성이 없는 비흡수성 실린더형 금형, 100×100×5 mm 유리판, 러버볼과 스파튤라, 진공혼합기, 치과용 진동기, 초시계, 버니어 켈리퍼스, 실리콘 그리스 등.

2) 시험절차

① 실린더형 금형과 유리판에 실리콘 그리스를 얇게 도포한 다음 금형을 유리판의 중앙부에 올려놓는다.
② 매몰재를 제조자의 지시에 따라 혼합한 후 20±2초에 걸쳐서 진동을 가하며 실린더형 금형에 약간 넘치도록 채운다. 이후 별도의 진동은 가하지 않고 상면을 편평하게 고른다(그림 4-4).
③ 매몰재의 주입 후 30초가 경과하였을 때 5초에 걸쳐서 금형을 천천히 들어올린다.
④ 매몰재의 경화 후 바닥면의 최소직경과 최대직경을 측정하고 그의 평균값을 기록한다(그림 4-5).

3) 시험결과의 평가 및 비교

① 시험결과가 표 4-1의 유동성에 대한 요구사항을 만족하는지 확인해보자.
② 인산염계 매몰재를 각각 물과 전용액으로 혼합했을 때의 차이를 비교해보자.

그림 4-4.   그림 4-5.

2. 초기경화시간 시험

1) 실습기구 및 재료

석고계 매몰재, 인산염계 매몰재, 침 직경이 1±0.05 mm이고 적어도 35 mm 이상 움직일 수 있는 300±1 g의 비카트 침 장치, 상부와 하부의 내부직경이 70 mm와 60 mm이고 높이가 40 mm인 원추형 링 금형, 러버볼과 스파튤라, 100×100×5 mm 유리판, 치과용 진동기 등.

2) 시험절차

① 100×100×5 mm 유리판과 원추형 링 금형의 표면에 실리콘 그리스를 얇게 바르고서 비카트 침 장치의 측정부에 올려놓는다.

② 침을 내려서 바닥의 유리판에 접촉시키고서 눈금을 0으로 맞춘다(그림 4-6).

③ 약 400 g의 매몰재를 제조자의 지시에 따라 혼합한 다음 원추형 링 금형에 약간 넘치도록 채우고 상면을 평편하게 고른다. 제조자가 제시한 초기경화시간의 1/2이 경과했을 때 측정을 개시한다.

④ 침이 매몰재 혼합물의 표면에 닿도록 내리고 자체의 무게에 의해서 뚫고 들어갈 수 있게 한다. 재탐침 시는 링 금형을 새로운 위치로 옮기고 또한 링 금형의 바닥면과 적어도 10 mm 이상 떨어진 위치에 탐침한다. 탐침은 15±1초 간격으로 반복하고 탐침 후에는 침을 깨끗하게 닦는다. 혼합을 개시한 시점으로부터 침이 링 금형의 바닥으로부터 5 mm 이내로 침투되지 않을 때까지의 시간을 초기경화시간으로 기록한다(그림 4-7).

그림 4-6.   그림 4-7.

3) 시험결과의 평가 및 비교

① 시험결과가 표 4-1의 초기경화시간에 대한 요구사항을 만족하는지 확인해보자.

② 인산염계 매몰재를 각각 물과 전용액으로 혼합했을 때의 차이를 비교해보자.

3. 압축강도 시험

1) 실습기구 및 재료

석고계 매몰재, 인산염계 매몰재, 직경 20 ± 0.2 mm $\times$ 높이 40 ± 0.4 mm 실린더형 분할 금형, 분할 금형의 양끝을 덮을 수 있는 크기의 유리판 2장, 러버볼과 스파튤라, 치과용 진동기, 재료시험기, 실리콘 그리스 등.

2) 시험절차

① 유리판과 실린더형 분할 금형의 표면에 실리콘 그리스를 얇게 도포한 다음 금형을 유리판에 올려놓는다(그림 4-8).

② 매몰재를 제조자의 지시에 따라 혼합한 다음 진동을 가하며 금형에 약간 넘치도록 채운다. 매몰재 혼합물의 표면에서 광택이 사라지면 금형의 상부 표면을 유리판으로 덮고 금형과 접촉할 때까지 누른다(그림 4-9).

③ 혼합 개시 60 ± 5분 후 시편을 금형에서 분리하여 실내(온도 23 ± 2℃, 상대습도 $50\pm10\%$)에 보관한다.

④ 시험 전에 시편의 직경을 측정하고 혼합개시 120 ± 5분 후 압축시험을 실시한다. 파절하중을 측정한 다음 시편의 단면적으로 나누어서 결과를 MPa 단위로 기록한다.

3) 시험결과의 평가 및 비교

① 시험결과가 표 4-1의 압축강도에 대한 요구사항을 만족하는지 확인해보자.

② 인산염계 매몰재를 각각 물과 전용액으로 혼합했을 때의 차이를 비교해보자.

그림 4-8.   그림 4-9.

4. 인산염계 매몰재의 선열팽창 시험

1) 실습기구 및 재료

인산염계 매몰재, 선열팽창측정장치, 직경 12 mm × 길이 50 mm 시편제작용 분할형 금형, 금형의 양끝을 덮을 수 있는 크기의 유리판 2장, 러버볼과 스파튤라, 치과용 진동기, 실리콘 그리스 등.

2) 시험절차

① 유리판과 시편제작용 분할 금형의 표면에 실리콘 그리스를 얇게 도포한 후 금형을 유리판 위에 올려놓는다.

② 매몰재를 제조자의 지시에 따라 혼합한 다음 진동을 가하며 금형에 약간 넘치도록 채운다. 혼합물의 표면에서 광택이 사라지면 시편의 상부 표면을 금형의 상단과 수평이 되도록 긁어서 제거한다.

③ 제조자가 권장하는 시간의 경과 후 금형에서 시편을 분리한다.

④ 시편의 길이를 0.02 mm 정밀도에서 측정한 다음 열팽창측정기에 장착하고 승온속도 5±1℃/min로 제조자가 추천한 소환온도까지 온도를 상승시키며 열팽창량을 기록한다. 제조자가 계류시간을 표시하지 않은 경우 15분 동안 유지한다.

3) 시험결과의 평가 및 비교

① 시험결과가 표 4-1의 인산염계 매몰재의 선열팽창률에 대한 요구사항을 만족하는지 확인해보자.

② 인산염계 매몰재를 각각 물과 전용액으로 혼합했을 때의 차이를 비교해보자.

매몰재 구입 시 검토사항

상 품 명: 검토의뢰일:
제 조 회 사: 검 토 결 과:
유   형: 검 토   자:

1. 분말은 균질하고 이물질 또는 덩어리가 없어야 한다.   예 ＿＿＿＿＿ 아니오 ＿＿＿＿＿

2. 사용설명서
   (1) 추천 용도   ＿＿＿＿＿＿＿＿＿＿＿＿
   (2) 혼수비   ＿＿＿＿＿＿＿＿＿＿＿＿
   (3) 혼합방법 및 매몰 과정   ＿＿＿＿＿＿＿＿＿＿＿＿
   (4) 몰드 라이너   ＿＿＿＿＿＿＿＿＿＿＿＿
   (5) 경화시간   ＿＿＿＿＿＿＿＿＿＿＿＿
   (6) 경화팽창률   ＿＿＿＿＿＿＿＿＿＿＿＿
   (7) 열팽창 및 열팽창곡선   ＿＿＿＿＿＿＿＿＿＿＿＿
   (8) 추천 소환과정   ＿＿＿＿＿＿＿＿＿＿＿＿
   (9) 추천 보관조건   ＿＿＿＿＿＿＿＿＿＿＿＿
   (10) 흡입 방지에 대한 주의사항   ＿＿＿＿＿＿＿＿＿＿＿＿
   (11) 적절한 배기방법   ＿＿＿＿＿＿＿＿＿＿＿＿

3. 출하상태
  1) 포장
   (1) 방습 포장이 되어 있는가?   예 ＿＿＿＿＿ 아니오 ＿＿＿＿＿
   (2) 사용지시서 동봉 여부   ＿＿＿＿＿＿＿＿＿＿＿＿
  2) 표시
   (1) 제조자 및 제품명   ＿＿＿＿＿＿＿＿＿＿＿＿
   (2) 분류   ＿＿＿＿＿＿＿＿＿＿＿＿
   (3) 총 무게   ＿＿＿＿＿＿＿＿＿＿＿＿
   (4) 유형표시   ＿＿＿＿＿＿＿＿＿＿＿＿
   (5) 제조번호   ＿＿＿＿＿＿＿＿＿＿＿＿
   (6) 유효기간   ＿＿＿＿＿＿＿＿＿＿＿＿

Chapter

5

치과용 금속재료

• 치과용 귀금속 합금과 비귀금속 합금을 사용목적에 따라 분류하고 선택할 수 있도록 공부한다.
• 치과용 합금의 가공과 열처리가 기계적 성질에 미치는 영향에 대하여 공부한다.

Ⅰ 기초지식

치과용 금속제 수복물 및 장치물의 제작을 위해 여러 종류의 합금이 사용되고 있다. 치과용 합금은 구성 성분에 따라서 귀금속 합금과 비귀금속 합금으로, 사용목적에 따라서 충전용과 보철용 합금으로, 그리고 사용 형태에 따라서 주조용과 가공용으로 분류하고 있다.

1. 치과 주조용 금합금

치과 주조용 금합금은 기본적으로 Au-Ag-Cu의 3원계 합금이며 여기에 Pt, Pd, Zn 등이 소량 첨가된다. 주조용 금 합금의 경도와 강도는 동 함량에 크게 의존한다. 동 함량이 10% 이하로 낮은 합금에서는 열처리에 의한 강화가 어려우므로 주조한 상태로만 사용한다. 하지만 동 함량이 10~16%이면 열처리에 의한 강화가 가능하므로 경도와 강도의 개선을 위해 열처리를 해서 사용한다. 치과 주조용 금합금에서는 구강 내에서 변색과 부식을 억제하기 위해 귀금속을 75 wt% 이상 함유하고 있다.

2. 치과 주조용 금합금의 대용합금

경제상황의 변동에 의한 영향으로 금 가격이 폭등하면서 금 함량이 낮은 저금합금이나 Ag-Pd 합금 등이 도입되었다. 저금 합금에서는 금의 함량이 12~14K 정도 수준이므로 변색과 부식에 대한 저항성이 낮다. 은 합금은 비귀금속 합금에 비해 가공성이 좋고 또한 금 합금에 비해서 가격이 저렴한 장점은 있지만 유황에 의해서 검게 변색되는 단점이 있다. 은 합금의 유황에 의한 변색 억제를 위해서 Ag에 Pd를 25% 이상 첨가한 Ag-Pd 합금이 도입되었다. 이 합금에서는 Pd의 첨가로 합금의 내변색성은 개선되었지만 Pd 함량이 증가함에 따라서 융점이 상승하여 주조가 어려워졌기 때문에 Pd 함량을 줄이는 대신 Au를 소량 첨가하여 합금의 주조성과 내변색성을 개선한 Au-Ag-Cu-Pd 합금이 도입되었다.

3. 치과용 비귀금속 합금

치과용 비귀금속 합금은 합금의 조성에 따라서 Co-Cr 합금, Ni-Cr 합금, 티타늄 및 티타늄 합금, 스테인리스 강 등으로 분류한다.

1) Co-Cr 합금

Co-Cr 합금은 강도가 높고, Cr에 의한 치밀한 부동태 피막층의 형성으로 인해서 내식성과 생체적합성이 우수하다. 주조용 Co-Cr 합금에서는 Cr 함량이 합금의 안정화에 있어서 중요한 역할을 하므로 Cr을 13% 이상 함유한다. 하지만 Cr 함량의 증가는 고온 산화의 원인이 되므로 그의 함량을 35% 이하로 제한하고 있다. Co-Cr 합금에서는 탄소 함량이 합금의 기계적 성질에 크게 영향을 미치므로 주조 시의 열원이나 분위기로부터 탄화물이 형성되지 않도록 주의가 필요하다.

가공용 Co-Cr 합금은 내식성은 우수하지만 경도가 높고 가공성이 불량하므로 전연성의 개선을 위해 Co의 일부를 Ni로 대체한 합금이 사용되고 있다. Co-Cr-Ni 합금은 스테인리스 강 선재와 성질이 유사하며 연질의 상태에서 교정용 장치물을 제작한 후 열처리를 하여 강도를 증가시키고 있다.

2) Ni-Cr 합금

Ni-Cr 합금은 내산성과 내열성이 큰 합금으로, Co-Cr 합금에 비해서 인장강도는 작지만 연성이 크다. 하지만 이 합금은 Ni에 의한 조직자극성, 알레르기 반응, 발암성 등이 문제가 되면서 사용이 제한되고 있다.

3) 티타늄 및 티타늄 합금

티타늄은 대기 중에서 치밀한 부동태 산화 피막층을 형성하므로 우수한 내식성과 생체적합성을 갖는다. 순 티타늄은 상온에서 α상이지만 882℃ 이상의 온도에서는 β상으로 변화된다. β형 티타늄 합금은 전연성이 풍부하고 합금원소의 고용능력이 커서 융점 저하가 가능하므로 주조용으로 사용이 가능하다.

β-Ti 합금으로 알려진 Ti-Mo 합금은 교정용 선재로서 1979년에 소개되었다. Ni-Ti 합금과는 달리 성형이 가능하므로 교정용 장치물의 제작 시 Ni-Ti 합금에서는 불가능한 loop 형성 및 전기저항 용접이 가능하다. 기계적 성질은 Ni-Ti 합금과 스테인리스 강 선재의 중간 정도이다.

Ni-Ti 합금은 오스테나이트(austenite) 상태에서의 형상과 마르텐사이트(martensite) 상태에서의 형상을 모두 기억하고 있어서 가열과 냉각에 따라서 형상의 변화가 일어난다. 오스테나이트 변태가 끝나는 온도보다 조금 더 높은 온도 범위에서는 오스테나이트 상이 불안정하여 외력이 작용하면 마르텐사이트 상으로 변태가 일어나지만 외력이 제거되면 역변태가 일어나서 다시 원래의 형상으로 회복되며, 이러한 성질을 초탄성이라 한다. Ni-Ti 합금으로 제작된 교정용 선재는 교정용 선재 중에서 탄성계수와 항복강도는 가장 낮지만 spring back 능력은 가장 크다. 상온에서 성형이 불가능하므로 호선으로 가공하는 단계에서 미리 토크를 부여하여 제조한다. 또한 납착과 용접이 불가능하므로 기계적으로 접합된 상태로만 사용한다.

4) 스테인리스 강

스테인리스강은 철의 부식저항성을 개선하기 위해서 특수한 원소를 합금하여 제조한 강으로서, 저탄소-고크롬의 페라이트계, 중탄소-고크롬의 마르텐사이트계, 저탄소-고크롬-고니켈의 오스테나이트계 및 기타 특수처리한 스테인리스 강이 사용되고 있다. 오스테나이트계 스테인리스 강은 페라이트계나 마르텐사이트계와 달리 자성은 없지만 가공성이 우수하므로 교정용 선재 및 의료용 기구의 제작에 사용되고 있다. 교정용 선재의 기계적 성질은 냉간가공과 소둔 정도에 dead soft, regular, super로 분류한다. dead soft는 연성이 크기 때문에 결찰사로 사용하고, regular는 구부림 조작이 가능하므로 교정용 선재로 사용되고 있다.

4. 금속-세라믹용 합금

금속-세라믹용 합금의 요구조건을 살펴보면, 융점이 포세린의 소성온도보다 높아야 하고, 포세린을 소성하는 과정에서 합금이 변형되지 않아야 하고, 또한 포세린과 금속의 열수축이 매칭되어서 결합계면에 높은 응력이 발생하지 않아야 한다.

금계 합금으로는 Au-Pt-Pd계의 합금, Au-Pd계 및 Au-Ag-Pd계 합금이 사용되고 있다. 귀금속은 산화가 어려우므로 산화물을 형성하여 포세린과의 화학적 결합을 유도하기 위해 Sn, In 등을 첨가하고 있다. 비귀금속계 합금으로는 Ni-Cr계 및 Co-Cr계 합금이 사용되어 왔지만, Ni-Cr계 합금은 Ni의 독성이 문제가 되면서 현재는 그의 사용이 제한되고 있다.

5. 금속의 기계적 성질과 열처리

금속재료에 외력이 작용하면 에너지가 가장 적게 소요되는 면과 방향으로 전단응력이 되어서 작용하므로 이 면과 방향으로 슬립(slip)이 일어난다. 금속재료의 강도를 개선하기 위해서는 슬립이 일어나기 어려운 조건을 부여하여 슬립을 제한할 필요가 있으며, 일반적으로 합금화(alloying), 결정립의 미세화, 가공, 열처리에 의한 제2상의 석출 등이 시행되고 있다.

Ⅱ 치과용 금속재료의 분류 및 요구사항

1. 분류

ISO 22674:2016에서는 고정식 및 가철식의 수복물과 장치물의 제작에 사용하는 치과용 금속재료를 표 5-1과 같이 분류하고 있다.

표 5-1. **ISO 22674:2016에서의 금속재료 분류**

유형	적응증
유형 0	낮은 응력에 견디는 단일치아용 고정성 수복물 제작용 예를 들면, 작은 비니어로 덮인 단면 인레이, 비니어 크라운 전기주조 또는 소결하여 제조한 금속–세라믹 크라운용의 금속은 유형 0에 속함
유형 1	낮은 응력에 견디는 단일치아용 고정성 수복물 제작용 예를 들면, 비니어 또는 비니어가 없는 단면 인레이, 비니어 크라운
유형 2	단일치아용 고정성 수복물 제작용 예를 들면, 면수에 대한 제한이 없는 크라운 또는 인레이 치과 주조용 티타늄
유형 3	다수 유닛의 고정성 수복물 제작용 예를 들면, 브리지 금속–세라믹 수복용 또는 치과 주조용 귀금속 합금
유형 4	높은 응력을 받는 얇은 부위로 구성된 장치물용 예를 들면, 가철성 국소의치, 클래스프, 얇은 비니어 단일치 크라운, 전악고정성 보철물 또는 좁은 단면을 갖는 바, 어태치먼트, 임플란트지지 상부구조물
유형 5	높은 탄성계수와 항복강도가 동시에 요구되는 장치물 제작용 예를 들면, 얇은 가철성 국소의치, 얇은 단면의 부품, 클라스프 코발트계 치과용 합금

2. 요구사항

1) 유해원소

유해원소로서 Ni, Cd, Be, Pb을 규정하고 있다. Cd, Be, Pb는 0.02 wt% 이상 그리고 Ni는 0.1 wt% 이상 함유하지 않아야 한다.

2) 기계적 성질

기계적 성질에 대해서는 0.2% 영구변형 항복강도, 파절 후 연신율, 탄성계수에 대하여 규정하고 있으며 표 5-2에 표시하였다.

표 5-2. **치과용 금속재료의 요구사항**

유형	0.2% 영구변형 항복강도(MPa)	파절 후 연신율 %	탄성계수 GPa
	최소	최소	최소
유형 0	–	–	–
유형 1	80	18	–
유형 2	180	10	–
유형 3	270	5	–
유형 4	360	2	–
유형 5	500	2	150

3) 밀도

제조자의 사용설명서에 제시되어 있는 값과 5% 이상 차이를 보이지 않아야 한다.

4) 부식저항성

규정에서 제시한 37 ± 1℃ 소정 용액에 $7d \pm 1h$ 동안 침지하였을 때 200 μg/cm²을 초과하지 않아야 한다.

5) 고상선 온도와 액상선 온도 및 융점

규정에 따라서 시험했을 때 고상선 온도가 1,200℃ 이하인 합금에서는 제조자가 제시한 값과 ± 20℃ 이상 차이를 보이지 않아야 한다. 고상선 온도가 1,200℃ 이상인 합금에서는 제조자가 제시한 값과 ± 50℃ 이상 차이를 보이지 않아야 한다. 상용 순금속의 경우, 융점이 1,200℃ 이하이면 ± 20℃ 이상 차이를 보이지 않아야 하고 융점이 1,200℃ 이상이면 ± 50℃ 이상 차이를 보이지 않아야 한다.

6) 열팽창계수

이 요구사항은 금속–세라믹 수복물의 제작에 사용하는 금속에만 적용하며, 제조자가 제시한 값과 0.5×10^{-6}/K 이상 차이를 보이지 않아야 한다.

Ⅲ 실습내용

1. Ag–Cu 및 Au–Cu 합금의 열처리에 의한 경도 변화 시험

1) 기초지식

경도(hardness)는 재료 표면의 작은 부분에 어떠한 물체를 사용하여 외력을 가할 때 나타나는 영구변형의 정도로 표시한다. 경도시험에서 압입한 자국은 크기가 매우 작아서 재료의 재사용에 거의 영향을 미치지 않으므로 품질관리의 측면에서 널리 적용되고 있다. 경도시험은 재료의 사용목적, 재질 및 형상 등에 따라서 여러 가지의 시험방법이 적용되고 있으며, 일반적으로 압입에 의한 방법, 반발에 의한 방법, 긁기에 의한 방법 등이 적용되고 있다. 압입에 의한 경도시험에는 Brinell 경도시험, Rochwell 경도시험, Vickers 경도시험, Knoop 경도시험 등이 있다(그림 5-1). 반발에 의한 경도시험에서는 재료의 표면에 추를 낙하시킬 때의 반발 높이를 측정하거나 탄

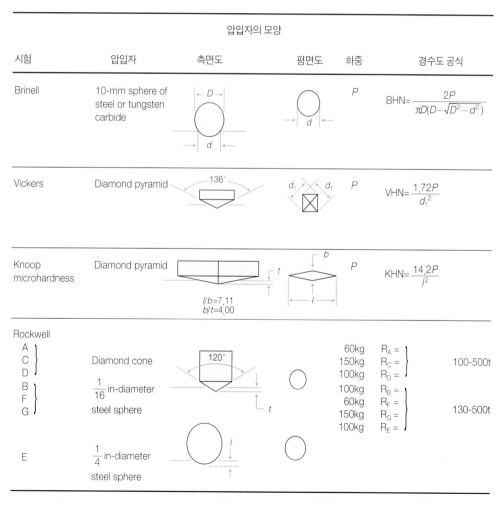

그림 5-1. **압입에 의한 경도시험법.**

력성이 있는 고무 등의 재료 표면에 침을 압입할 때의 관통깊이를 측정하는 방법 등이 적용되고 있다.

2) 실습기구 및 재료

Au−Cu 합금판, Ag−Cu 합금판, 온도를 800℃로 올릴 수 있는 전기로, 경도시험기, #400−#2,000 범위의 SiC 연마지 등.

3) 시험절차

① Au−Cu 합금판과 Ag−Cu 합금판 2개씩을 준비한 다음 전기로에 넣고 승온속도 50℃/min으로 온도를 700℃로 올려서 10분간 유지한 후 수중에 침지하여 급냉한다.

② 급냉한 합금판 중의 하나씩을 전기로에 넣고 승온속도 50℃/min으로 온도를 450℃로 올려서 10분 동안 유지한 후 실온까지 서냉한다.

③ 시편들의 표면을 #400−#2,000 범위의 SiC 연마지 단계까지 순차적으로 연마한 후 경도를 측정한다.

참조 열처리 온도는 그림 5-2의 상태도를 참조하여 적절한 온도로 변경이 가능함.

4) 시험결과의 평가 및 비교

① 합금의 종류에 따라서 열처리 온도가 경도에 미치는 영향에 대하여 조사해보자.

② Au−Cu 합금과 Ag−Cu 합금의 상태도에서 열처리 온도가 조직의 변화에 미치는 영향에 대하여 조사해보자.

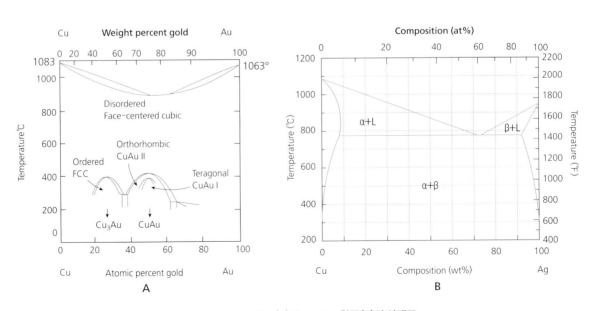

그림 5-2. **Au-Cu 합금(A)과 Ag-Cu 합금(B)의 상태도.**

2. 교정용 선재의 굴곡탄성계수 시험

1) 기초지식

선재를 단순지지하고 중앙부에서 외력을 가하여 구부리면 중립면의 상부에는 압축응력이 그리고 하부에는 인장응력이 발생하지만, 중립면상에서는 길이의 변화가 없으므로 어떠한 응력도 발생하지 않는다. 단순지지한 길이 l 선재의 중앙점에 하중 P가 작용할 때 시편에 발생하는 최대 굽힘응력 σ는 중앙 하중점의 하면상에 발생하며 다음의 식 5-1로 표시된다.

식 5-1

$$\sigma = \frac{My_c}{l}$$

여기에서, M은 굽힘 모멘트, I는 단면 2차 모멘트, y_c는 시편의 중립면으로부터 최대인장응력이 발생하는 지점까지의 거리이다.

굽힘 모멘트 M은 단순지지한 경우와 일단 고정의 경우에 각각 식 5-2와 식 5-3으로 표시된다.

식 5-2

양단을 단순지지한 경우 : $M = \dfrac{Pl}{4}$

식 5-3

일단 고정의 경우 : $M = Pl$

시편의 단면이 폭 b와 두께 h의 사각인 경우 단면 2차 모멘트는 식 5-4로 표시된다.

식 5-4

사각형 단면 : $I = \dfrac{bh^3}{12}$

사각단면의 선재를 단순지지한 상태에서 중앙에 하중 P가 작용할 때의 최대 응력 σ는 식 5-5로 표시된다.

식 5-5

$$\sigma = \frac{\dfrac{Pl}{4}\dfrac{h}{2}}{\dfrac{bh^3}{12}} = \frac{3Pl}{2bh^2}$$

양단을 지지한 선재의 중앙에 하중 P가 작용하는 경우(그림 5-3)와 일단을 고정한 선재의 끝에 하중 P가 작용하는 경우(그림 5-4)의 최대 수직변위량은 각각 식 5-6과 5-7로 표시된다.

식 5-6

양단을 단순지지한 선재의 최대 수직변위량 : $y = \dfrac{Pl^3}{48E_bI}$

식 5-7

일단을 고정한 선재의 최대 수직변위량 : $y = \dfrac{Pl^3}{3E_bI}$

여기에서, E는 탄성계수, I는 선재의 단면 2차 모멘트, l은 지지점 사이의 거리이다.

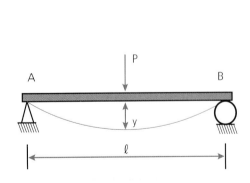

그림 5-3. 양단을 단순지지한 선재의 3점 굴곡시험.

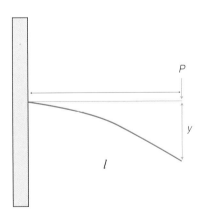

그림 5-4. 일단을 고정한 선재의 굴곡시험.

2) 실습기구 및 재료

폭 0.635 mm × 두께 0.432 mm × 길이 100 mm 교정용 선재 3 종류(스테인레스 강선, Co-Cr-Ni 합금선, Ti-Mo 합금선), 양단 단순지지와 일단 고정의 굴곡시험장치, 저울추, 길이측정용 금속자, 전기로, 계산기 등.

3) 시험절차

① 3점 굴곡시험용 장치의 지지점으로부터 하중작용점까지의 거리를 45 mm로 조절한다.
② 굴곡시험용 장치에 교정용 선재를 올리고 영구변형이 일어나지 않는 수준의 하중 범위 내에서 추의 중량을 증가시키며 수직 변위량을 측정한다(그림 5-5).
③ 4개의 측정값을 얻은 다음 눈금종이에 수직하중(추의 무게) P와 수직변위량의 관계로 도시하고 최소자승법을 적용하여 기울기 K를 계산한다(그림 5-6).
④ 식 5-6을 수직하중 P와 수직변위의 관계식으로 변환했을 때의 기울기에 대한 식과 단계 (3)에서 측정한 기울기 값으로부터 굴곡탄성계수를 계산한다.

> **참조** 수직변위의 확인이 용이하지 않으므로 측정용 선재와 보조 선재를 함께 올린 다음 추를 매달고서 휴대폰으로 사진을 찍어서 처짐량을 확인한다.

4) 시험결과의 평가 및 비교

① 선재의 종류에 따른 수직변위량과 굴곡탄성계수를 비교해보자.
② 선재의 종류에 따라 10 mm 수직변위량을 유발하는 데 필요한 하중 값을 조사해보자.
③ 선재의 열처리가 수직변위량의 변화에 미치는 영향에 대하여 조사해보자.
④ 양단 단순지지와 일단 고정에서 하중점으로부터 지지점까지의 거리를 45 mm로 일정하게 유지한 상태에서 동일한 하중을 가한 후 처짐량의 차이를 비교해보자.

그림 5-5. **교정용 선재의 3점 굴곡시험.**

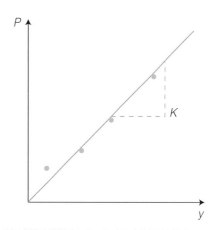

그림 5-6. **선재의 3점 굴곡시험 후 수직하중 P와 수직변위량 y의 관계로 도시한 그래프.**

3. Loop 형성이 선재의 수직변위량에 미치는 영향

1) 실습기구 및 재료

폭 0.635 mm × 두께 0.432 mm의 교정용 선재 3종류(스테인레스 강선, Co-Cr-Ni 합금선, Ti-Mo 합금선), 일단 고정용 굴곡시험장치(그림 5-7), 길이측정용 금속자, 저울추, 눈금종이 등.

2) 시험절차

① 준비한 합금 선재를 표 5-3에 표시한 형태로 구부려서 준비한다(그림 5-7).
② 준비한 시편들을 일단 고정용 굴곡시험장치에 고정하고 영구변형이 일어나지 않는 하중 범위 내에서 추를 매달고 수직 변위량을 측정한다.
③ 측정 결과를 하중과 수직변위의 관계로 도시한다.

3) 시험결과의 평가 및 비교

① 선재의 종류에 따라 loop 형성이 수직변위량에 미치는 영향에 대하여 조사해보자.
② 열처리가 선재의 수직변위량의 변화에 미치는 영향에 대하여 조사해보자.

표 5-3. 교정용 선재의 구부림 조건

분류	선재의 준비조건
L_0	선재 끝에 추를 매달기 위한 고리를 형성하고 70 mm 떨어진 위치에서 30° 경사지게 구부린 다음 20 mm를 남기고 절단한다.
L_1	선재 끝에 추를 매달기 위한 고리를 형성하고 35 mm 떨어진 위치에 loop를 형성하고 70 mm 떨어진 위치에서 30° 경사지게 구부린 다음 20 mm를 남기고 절단한다.
L_2	선재 끝에 추를 매달기 위한 고리를 형성하고 25 mm와 50 mm 떨어진 위치에 각각 loop를 형성하고 70 mm 떨어진 위치에서 30° 경사지게 구부린 다음 20 mm를 남기고 절단한다.

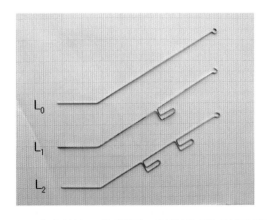

그림 5-7. 표 5-3에 따라서 loop를 형성하고 고정부를 30° 구부린 시편들의 사진.

[시험 예 1] Loop 형성이 Co-Cr-Ni 합금 선재의 수직변위량의 변화에 미치는 영향

1) 실습기구 및 재료

폭 0.63 mm × 두께 0.42 mm Co-Cr-Ni 합금 선재, 일단고정 굴곡시험장치, 길이측정용 금속 자, 저울추, 눈금종이 등.

2) 시험절차

① 폭 0.63 mm × 두께 0.42 mm Co-Cr 합금 선재를 표 5-3의 조건에 따라 구부려서 시편을 준비하였다.
② 일단고정 굴곡시험장치에 준비한 시편을 고정하고 추의 무게를 5 g, 7 g 및 10 g으로 변화시키며 수직변위량을 측정하였다(그림 5-8).
③ 측정 결과를 눈금종이에 하중-수직변위량의 관계로 도시하였다(그림 5-9).

3) 시험결과의 평가 및 비교

동일한 정도의 수직변위를 유발하는 데 필요한 하중은 loop 개수가 1개에서 2개로 증가하며 감소되었다.

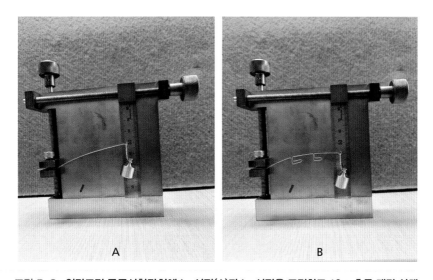

그림 5-8. **일단고정 굴곡시험장치에 L_0 시편(A)과 L_2 시편을 고정하고 10 g 추를 매단 상태.**

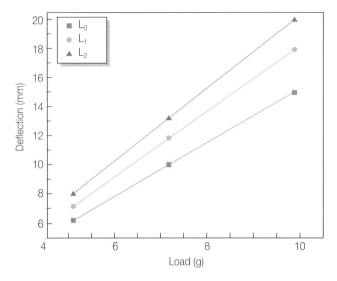

그림 5-9. 추의 무게와 수직변위량 사이의 관계.

[시험 예 2] Loop를 형성한 Co-Cr-Ni 합금 선재의 열처리 시간이 수직변위량의 변화에 미치는 영향

1) 실습기구 및 재료

폭 0.56 mm × 두께 0.41 mm Co-Cr-Ni 합금 선재, 일단고정 굴곡시험장치, 길이측정용 금속 자, 저울 추, 눈금종이 등.

2) 시험절차

① 폭 0.56 mm × 두께 0.41 mm Co-Cr-Ni 합금 선재를 표 5-3과 그림 5-7에 표시한 L_2 형상으로 구부려서 18개 준비하였다.

② 열처리 온도 482℃에서 열처리 시간이 수직변위에 미치는 영향을 조사하기 위해 준비한 시편들은 무처리 및 열처리시간 1분, 4분, 7분, 10분 및 13분의 6개 그룹으로 준비하였다.

③ 일단고정 굴곡시험장치에 준비한 시편들을 고정하고 5 g 추를 매달았을 때의 수직변위량을 조사한 다음 열처리시간-수직변위량의 관계로 도시하였다(그림 5-10).

3) 시험결과의 평가 및 비교

5 g 추에 의한 수직변위량은 열처리 온도 482℃에서 7분 동안 열처리를 하였을 때 가장 작게 나타났다.

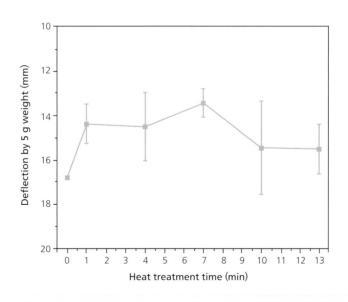

그림 5-10. **열처리 온도 482℃에서 열처리 시간과 수직변위량 사이의 관계.**

치과용 합금 구입 시의 검토사항

상 품 명:　　　　　　　　검 토 의 뢰 일:
제 조 회 사:　　　　　　　검 토 결 과:
유　　　형:　　　　　　　검　토　자:

1. 포장의 표시사항
　(1) 항복강도
　(2) 연신율
　(3) 경도값
　(4) 주조온도
　(5) 열처리 조건
　(6) 납착 조건

2. 합금 주괴의 표시사항
　(1) 제조원 또는 발매원
　(2) 합금의 종류

3. 사용설명서의 표시사항
　(1) 제조자 및 판매자의 연락처
　(2) 합금의 상품명
　(3) 합금의 종류
　(4) 합금의 성분
　(5) 합금의 색조
　(6) 액상선과 고상선의 온도
　(7) 합금의 밀도
　(8) 제조번호
　(9) 포장단위
　(10) 합금의 유해성분 표시와 그의 함량

Chapter

Chapter

6

치과정밀주조

실 습 목 적

• 주조에 의해서 금속 수복물을 제작하는 과정에 대하여 공부한다.
• 주조체의 상태 및 정밀도에 영향을 미치는 인자들에 대하여 공부한다.

I 기초지식

금속 수복물의 제작 과정에서는 작은 크기의 인레이로부터 크기가 큰 국소의치 프레임워크에 이르기까지 다양한 종류가 주조에 의해서 만들어지고 있으며, 일반적인 제작과정은 아래의 그림 6-1과 같다.

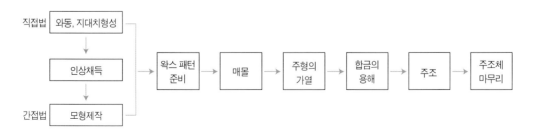

그림 6-1. **주조에 의한 금속 수복물의 제작과정.**

1. 왁스 패턴의 준비

1) 직접법 (direct method)

환자의 구강에 형성된 와동에서 직접 왁스 패턴을 제작하는 방법으로, 주로 수복범위가 좁은 단순 와동에 한정하여 적용하고 있다. 직접법의 경우에는 37℃에서 유동성을 보이지 않는 ISO 유형 1 등급 2의 주조용 경질 왁스(hard wax)가 사용된다.

2) 간접법 (indirect method)

환자 구강을 복제하여 준비한 모형 상에서 왁스 패턴을 준비하는 방법으로, 왁스 패턴의 분리가 용이하도록 하기 위해서 다이 표면에 glycerin, ethylene glycol과 같은 분리제를 얇게 도포한다. 간접법의 경우에는 실온에서 변형이나 유동이 일어나기 어려운 ISO 유형 1 등급 1의 주조용 연질 왁스가 사용된다.

2. 매몰

1) 주입선(sprue)의 부착

왁스 패턴의 제작 후 매몰을 하기 위해서 주입선을 부착한다. 주입선은 매몰과정에서는 왁스 패턴을 고정하는 역할을 하고, 소환(burnout) 과정에서는 용융된 왁스가 흘러나오는 통로 역할을 하며, 주조과정에서는 용융금속이 주형에 유입되는 통로의 역할을 한다. 왁스 패턴에 주입선을 부착할 때는 변연부에서 멀리 떨어져 있으면서도 용융금속이 유입되기 쉬운 두꺼운 부위에 부착한다. 주입선에는 용융금속의 응고수축을 보상하기 위해서 패턴으로부터 약 1 mm 정도 떨어진 위치에 리저버(reservoir)를 형성한다.

2) 완충재 이장

매몰재 주형의 팽창이 주조 링에 의해 억제되는 것을 방지하기 위해서 주조 링의 내면에 asbestos 완충재를 이장한다. 완충재는 이외에도 주조과정에서 발생하는 가스의 배출을 용이하게 하고, 주조 후 주조 링을 실온에 방치하는 동안 급격한 열발산을 억제하며 또한 주조 링과 매몰재의 분리를 용이하게 하는 등의 역할을 한다. 그림 6-2는 왁스 패턴을 매몰하기 위해 준비한 상태를 보여주는 모식도로서, 매몰재 주형이 주조 링에서 분리되지 않고 고정되도록 하기 위해서 주조 링 양단의 약 3 mm 부분에는 완충재를 이장하지 않는다.

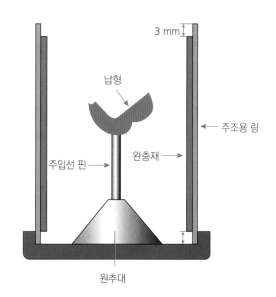

그림 6-2. **왁스 패턴의 매몰을 위해 준비된 상태의 모식도.**

3. 주조

1) 주형의 가열

왁스는 탄소, 수소, 질소로 구성된 유기물질로서 고온으로 가열하면 이산화탄소(CO_2), 물(H_2O), 산화질소(NO) 등의 기체로 분해되어 제거된다. 매몰재 주형의 내부에 왁스 성분이 잔류하면 주형의 가열과정에서 탄화물 미립자가 생성되고 이것이 기공부를 막아서 통기성을 저하시킬 뿐만 아니라 주조체의 표면에 함입되어서 검은 색의 변색을 야기하기도 한다.

주형을 가열할 때 처음에는 주입선 부분이 아래로 향하게 해서 왁스의 대부분이 흘러내리도록 하고 이어서 주입선 부분이 위로 향하게 해서 30분 이상 가열하여 잔류하는 왁스를 기화시킨다. 왁스는 약 500℃에서 대부분 소각되지만, 주형을 충분히 팽창시키고, 용융된 금속이 주입선 통로에서 응고되는 것을 방지하기 위해서 조금 더 높은 온도로 가열한다. 일반적으로 석고계 매몰재는 650℃, 인산염계 매몰재는 800~900℃ 정도로 가열한다. 주형의 가열온도가 높을수록 주조성은 개선되지만, 너무 높으면 주조체의 표면거칠기가 증가하는 원인이 될 수도 있다.

2) 합금의 용해

합금의 용해 과정에서는 산화를 억제하기 위해 가능한 한 신속하게 가열하고 또한 과열이 되지 않아야 한다. 용해에 사용하는 열원으로는 블로우 파이프(blow pipe), 전기로, 고주파유도가열로, 아크가열로 등이 사용되고 있다. 블로우 파이프를 사용한 가열의 경우 합금의 산화를 억제하기 위해서 환원대의 불꽃을 사용하여 용해한다(그림 6-3).

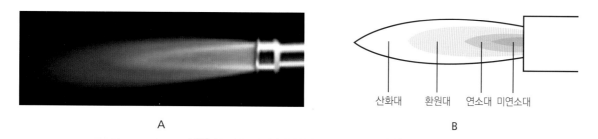

| 산화대 | 환원대 | 연소대 미연소대 |

A   B

그림 6-3. **블로우 파이프의 화염(A) 및 그의 모식도(B).**

3) 용융된 합금의 주입

합금을 가열 용융하여 주조온도에 도달하면 빠른 시간 내에 주형에 주입하여야 한다. 주조온도가 높을수록 용융된 금속의 유동성이 증가하므로 주조성은 개선되지만 너무 높을 경우 합금의 산화, 가스의 흡수, 연소에 의한 합금의 조성 변화 등을 초래하게 되므로 주조체가 취약해질 수 있다. 주조온도는 합금의 융점보다 약 10% 높은 온도(50~150℃)가 적당하다.

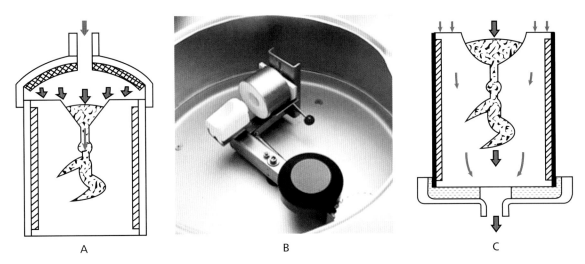

그림 6-4. **주조기의 종류. A. 공기압주조기, B. 원심주조기, C. 가압흡인주조기**

용융된 합금을 주형에 주입하기 위해 가압식주조기, 원심주조기, 가압흡인주조기 등이 이용되고 있다. 가압식주조기에서는 주형에 용융된 금속을 주입할 때 수증기나 압축공기를 이용한다. 원심주조기에서는 주형에 용융된 금속을 주입할 때 원심력을 이용한다. 가압흡인주조기에서는 주형에 용융된 금속의 유입을 유도하며 산화를 억제하기 위해 아르곤 가스의 주입에 의한 가압과 주형의 저부에서 흡인 감압하는 방식을 이용한다(그림 6-4).

4. 주조체의 마무리

주조가 끝나면 주형의 냉각, 매몰재의 제거, 주조체 표면의 산화물 제거, 주입선의 절단 및 표면 연마의 순서로 마무리가 이루어진다. 금합금은 주조 후 곧바로 매몰재 주형을 수중에 집어넣어서 급냉한다. 급냉하면 주조체로부터 매몰재가 쉽게 제거될 뿐만 아니라 합금이 연화되기 때문에 마무리 연마가 용이해진다. 금합금 주조체는 표면에 생성된 산화물이나 유화물을 제거하기 위해 30~50% 염산 수용액에서 산세처리를 하고 흐르는 물에서 씻은 다음 중탄산나트륨(sodium bicarbonate) 용액에 잠시 넣어서 산을 완전히 중화시킨다. Co-Cr 합금은 주조 후 실온까지 대기 냉각하는 방법이 추천되고 있으며 산세처리를 하지 않는다. 주입선을 절단하고 잔여 부분을 실리콘 카바이드 디스크(silicone carbide disc)와 스톤 휠(stone wheel) 등으로 외형에 맞추어서 다듬은 후 러버 휠(rubber wheel) 종류, 스톤 포인트(stone point)와 러버 포인트(rubber point) 종류, 버(bur) 종류 등을 적절하게 사용하여 표면을 연마한다. 이후 펠트 휠(felt wheel)이나 로빈슨 브러쉬(robinson brush)에 산화철(rouge, Fe_2O_3) 또는 산화크롬(Cr_2O_3)과 같은 연마재를 묻혀서 최종 마무리 연마를 한다.

Ⅲ 실습내용

1. 왁스 패턴의 치수정밀도 시험

1) 실습기구 및 재료

　연질 주조용 왁스, 왁스 조각도, 기공용 버너, 용해 냄비, 항온수조, 커터 칼, 온도계, 실리콘 그리스, 패턴 제작용의 금형(그림 6-5), 퍼티 실리콘 고무 인상재, 저점도 부가중합형 실리콘 고무 인상재와 자동혼합기, 초경석고, 알코올 램프, 측정용 현미경(1/100 mm까지 측정이 가능한 것) 등.

그림 6-5. **패턴 제작용의 금형.**

2) 시험절차

(1) 왁스 패턴의 준비

① 연화압접법에 의한 패턴 제작(그림 6-6)

　(a) 금형과 유리판에 실리콘 그리스를 얇게 도포한 다음 55±5℃로 가온한다.

　(b) 연질 주조용 왁스를 57±1℃ 항온수조에서 예열하여 금형에 압입한 후 55±5℃로 가온한 유리판으로 덮고 49N 하중을 가하여 5분동안 가압한다. 패턴의 표면이 금형과 같은 높이가 되도록 상부를 마무리한다.

　(c) 금형을 10±5℃ 물에 넣어서 냉각한 다음 패턴을 분리한다.

② 용융주입법에 의한 패턴 제작

　(a) 금형과 유리판에 실리콘 그리스를 얇게 도포한 다음 55±5℃로 가온한다.

　(b) 충분한 양의 왁스를 용해 냄비에 넣고 가열하여 용해한 다음 금형에 약간 넘치도록 채우고 수축이 일어나면 용융된 왁스를 보충한다.

　(c) 왁스 표면에서 광택이 사라지면 55±5℃로 가온한 유리판으로 덮고 49 N 하중으로 5분 동안 가압한 다음 유리판을 제거하고 패턴의 표면이 금형과 같은 높이가 되도록 상부를 마무리한다.

　(d) 금형을 10±5℃ 물에 넣어서 냉각한 다음 패턴을 분리한다.

79

③ wax-up에 의한 패턴 제작

(a) 금형에 실리콘 그리스를 얇게 도포하고 변연부를 block out한 후 실리콘 고무 인상재 퍼티로 금형의 1차 인상을 채득한다.

(b) 1차 인상체에 저점도 부가중합형 실리콘 고무 인상재를 자동혼합하여 절반 정도 채우고 금형을 재차 압착하여 최종 인상을 채득한다. 인상재의 경화 후 금형을 분리하고 인상체의 표면을 물로 씻어내고 air syringe로 가볍게 불어서 여분의 물기를 제거한다. 이후 실리콘인상체에 습윤제를 얇게 도포하고 가볍게 건조한다.

(c) 초경석고를 제조자가 제시한 표준혼수비 조건으로 혼합한 다음 진동을 가하며 실리콘 고무 인상체에 주입하여 다이를 준비한다.

(d) 초경석고 다이 표면에 실리콘 그리스를 얇게 도포한 다음 wax-up을 하여서 두께 1 mm 왁스 패턴을 준비한다.

(e) 왁스 패턴이 변형되지 않도록 주의하며 다이에서 분리한다.

(2) 왁스 패턴의 수축률 측정(그림 3-18)

① 왁스 패턴을 금속 다이에 가볍게 끼워맞춘 후 분리간격 α를 측정한다.
② 왁스 시편의 수축률 Δ를 식 3-2로부터 계산한다.

3) 시험결과의 평가 및 비교

왁스 패턴의 제작 방법에 따른 수축률의 차이를 비교해보자.

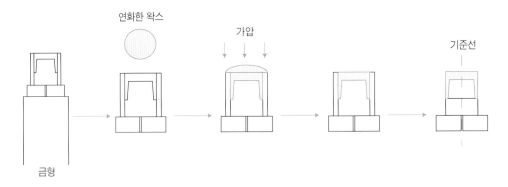

그림 6-6. **연화압접법에 의한 왁스 패턴의 제작 과정.**

2. 금속 주조체의 치수정밀도 시험

1) 실습기구 및 재료

연질 주조 왁스, 왁스 조각도, 기공용 버너, 용해 냄비, 항온수조, 커터 칼, 온도계, 실리콘 그리스, 시편 제작용의 금형(그림 6-5), 퍼티 실리콘 고무 인상재, 저점도 부가중합형 실리콘 고무 인상재와 자동혼합기, 초경석고, 알코올 램프, 측정용 현미경(1/100 mm까지 측정 가능한 것), 인산염계 매몰재, 주조기 등.

2) 시험절차

① 연화압접법, 용융주입법 및 wax−up하여 패턴을 준비한다.

② 왁스 패턴에 주입선을 부착하고 리저버를 형성한 다음 주조 링의 크기에 맞추어서 원추대에 고정한다(그림 6-7).

③ 왁스 패턴에 습윤제를 얇게 도포하고 가볍게 건조한다.

④ 주조 링의 내면에 완충재(asbestos)를 이장한다. 주조 링 양단의 약 3 mm 부분에는 완충재가 이장되지 않도록 한다.

⑤ 매몰재를 제조자의 지시에 따라 계량한 다음 기포 혼입을 억제하기 위해 진공혼합한다. 손으로 혼합하는 경우에는 혼합과정에서 진동을 가하여 매몰재 내부의 기포를 제거한다.

⑥ 먼저 왁스 패턴의 표면에 소량의 매몰재를 바르듯이 적용하고(그림 6-8), 이후 가볍게 진동을 가하며 매몰재를 흘러내리듯이 채운다(그림 6-9). 진동을 너무 심하게 가하면 역으로 기포가 생성될 수 있으므로 주의한다. 매몰재가 경화될 때까지 60분 정도 방치한다(그림 6-10).

⑦ 매몰재가 완전히 경화된 것을 확인한 다음 원추대를 떼어내고 전기로에서 통법에 따라 소환(그림 6-11)을 하고서 원심주조한다(그림 6-12).

⑧ 주조 링을 대기 중에 10분 정도 방치하고(그림 6-13), 이어서 물속에 넣어서 급냉한 후 매몰재를 제거한다(그림 6-14).

⑨ 주입선을 절단한 다음 잔여부분을 실리콘 카바이드 디스크와 스톤 휠 등으로 외형에 맞추어서 다듬고 러버 휠 종류, 스톤 포인트와 러버 포인트 종류, 버 종류 등을 적절하게 사용하여 표면을 마무리한다.

⑩ 펠트 휠이나 로빈슨 브러쉬에 산화철 또는 산화크롬과 같은 연마재를 묻혀서 최종 마무리 연마를 한다.

⑪ 주조체를 초경석고 다이에 조심스럽게 끼워 맞추고 분리간격 α를 측정한 다음 주조 수축률 Δ를 식 3-2로부터 계산한다.

3) 시험결과의 평가 및 비교

① 왁스 패턴의 제작 방법에 따른 주조수축률의 차이를 비교해보자.

② 왁스 패턴의 수축률과 주조체의 수축률 사이의 차이를 비교해보자.

그림 6-7.

그림 6-8.

그림 6-9.

그림 6-10.

그림 6-11.

그림 6-12.

그림 6-13.

그림 6-14.

Chapter 07 납착

실 습 목 적

・납착방법을 습득하고, 납착부의 성질에 영향을 미치는 인자들에 대하여 공부한다.

Ⅰ 기초지식

1. 금속과 금속의 접합

치과 금속수복물이나 교정장치물의 제작과정에서는 때때로 2-3개의 작은 부분을 따로 준비한 다음 이것들을 하나로 접합한다. 금속과 금속을 접합하는 작업은 크게 납착(soldering), 경납착(brazing) 및 용접(welding)으로 분류한다. 납착이란 모재보다 융점이 낮은 납재를 사용해서 모재를 거의 용해시키지 않고 접합하는 것으로, 납의 융점이 낮기 때문에 모금속과 납재 사이에서 반응은 거의 일어나지 않는다. 일반적으로 융점 425℃ 이하의 납-주석(lead-tin) 합금과 같은 연납을 사용하는 경우를 납착이라 하고, 융점이 그 이상인 납재를 사용하는 경우를 경납착이라 한다. 경납착의 과정에서는 모금속과 납재 사이에서 원소의 이동에 의한 반응이 일어난다. 치과보철 영역에서 이루어지는 납착에서는 일반적으로 융점 700℃ 이상의 납재가 사용되고 또한 모금속과 납재 사이에서 원소의 이동에 의한 반응이 일어나므로 경납착이라고 해야 하지만 일반적으로 납착이라고 한다. 용접은 납재를 사용하지 않고 동일한 금속 또는 다른 종류의 금속을 녹여서 함께 접합하는 것으로서, 용접부의 조성이 모금속과 차이를 보이지 않으므로 부식에 대한 저항성이 우수하다.

2. 납재에 요구되는 성질

납재의 조성이 모재에 가까울수록 모재와 친화성이 있고, 납착부의 색조도 모재에 가깝고, 또한 부식이나 변색에 대한 저항성도 증가한다. 납재의 융점이 높으면 납착 조작이 어렵기 때문에 납재의 융점을 낮추기 위해서 저융점의 금속을 소량 첨가하고 있다. 일반적으로 납재는 모재에 비해서 융점이 100-150℃ 정도 낮다.

3. 납재의 종류

1) 금납

Au-Ag-Cu 계의 14-20K 합금이 사용되고 융점은 750-900℃에 달한다. 내식성의 측면에서는 모재와 동일한 금함량을 갖는 것이 바람직하지만 합금의 융점을 낮추기 위해 합금원소로서 Sn, Zn 등의 저융점 금속을 소량 첨가하고 있다.

2) 은납

Ag-Cu 계의 합금이 사용되고 융점은 650-750℃에 달한다. 합금의 융점을 낮추기 위해 합금원소로서 Zn과 Cd을 소량 첨가하고 있다. 치과영역에서 은납은 교정용 장치물과 같이 비교적 강도가 요구되지 않는 부위의 납착에 사용한다.

4. 납착 방법

치과에서 납착은 다음의 두 가지 방법이 널리 이용되고 있다. 하나는 손 또는 기구로 잡고서 화염을 이용하여 납착하는 방법으로, 교정용이나 다른 장치물의 납착 시에 적용되고 있다. 또 다른 하나는 납착용 매몰재(soldering investment)로 매몰하여 고정하고 납착하는 방법으로, 고정성 보철물과 같이 정확도가 요구되는 수복물의 납착 시에 적용되고 있다.

5. 융제(flux)

납착 시 모금속의 표면에 오염물이나 산화막이 형성되면 납의 젖음성과 유동성이 크게 저하된다. 융제는 모재 표면에 형성되는 산화막을 분해해서 납착부의 표면을 청정하게 유지할 뿐만 아니라 용융된 납의 표면장력을 감소시켜서 젖음과 유동을 촉진한다. 금합금 수복물의 납착 시에는 일반적으로 붕사($Na_2B_4O_7 \cdot 10H_2O$)가 융제로서 사용되고, 18-8 스테인리스 강, Co-Cr 합금 및 티타늄 등의 납착 시에는 부동태 산화피막의 용해를 위해서 불화물이 융제로서 사용되고 있다.

6. 항융제(antiflux)

납착 시 용융된 납이 원하지 않는 부위로 흐르는 것을 제한하기 위해서 모재의 표면에 도포하는 물질로서, 흑연(graphite), $CaCO_3$ 또는 Fe_2O_3 등의 알코올 현탁액이 사용되고 있다.

7. 전납착과 후납착

전납착(pre-soldering)이란 합금에 포세린을 적용하기 전에 미리 납착하는 것으로서, 납재의 융점은 포세린의 소성온도보다 높아야 한다. 후납착(post-soldering)이란 금속-세라믹 수복물을 완성한 후 납착하는 것으로서, 납재의 융점은 포세린의 소성온도보다 낮아야 한다. 후납착 과정에서 화염이 포세린의 표면에 직접 닿으면 변색, 오염, 파절 등이 일어날 수 있으므로 일반적으로 후납착은 포세린 소성로 내에서 이루어진다.

Ⅱ 치과용 납재의 요구사항

ISO 9333:2006(E)에서는 치과용 납재의 유해성분 허용한계, 생체적합성, 부식저항성, 납착부의 인장강도, 용융범위 등에 대하여 규정하고 있다.

1. 유해성분

납재는 베릴륨, 카드뮴 및 납을 중량비 0.02% 이상 함유하지 않아야 하고, 만일 납재가 니켈을 중량비 0.1% 이상 함유하는 경우 제품에 표시하여야 한다.

2. 생체적합성

이 국제표준의 생물학적 유해성에 대한 정성적 정량적 요구사항은 포함되어 있지 않지만 가능하면 ISO 10993−1과 ISO 7405를 참조할 것을 요구한다.

3. 부식저항성

부식저항성의 평가 방법에 따라 시험한 시편과 시험하지 않은 시편을 육안으로 비교했을 때 화학적 반응으로 인한 어떠한 흔적도 발견되지 않아야 한다.

4. 인장강도

납착부의 인장강도는 250 MPa 이상이 되어야 한다. 만약 모금속의 한쪽 또는 양쪽의 항복강도가 250 MPa을 넘지 않으면 납착부의 인장강도는 둘 중 더 낮은 것보다 높아야 한다.

Ⅲ 실습내용

1. 납착부의 인장결합강도 시험

1) 실습기구 및 재료

직경 2~3 mm × 길이 30~50 mm 스테인리스 강선, 납착용 매몰재, 은납, 불화물함유 융제, 중심선정렬장치, 러버볼과 스파튤라, 베이스플레이트 왁스, 알코올 램프, 기공용 버너 등.

2) 시험절차

① 스테인리스 강선 2개를 간격이 0.2 mm가 되도록 중심선정렬장치에 고정한다(그림 7-1).

② 납착부를 중심으로 하여 steaky wax로 임시 고정한다(그림 7-2).

③ 유리판에 실리콘 그리스를 얇게 도포하고, 유틸리티 왁스를 직경 3 mm 정도가 되도록 4개 뭉쳐서 고정하고, 그 위에 스테인리스 강선이 움직이지 않도록 조심스럽게 올려놓고 납착부에 공간이 형성되도록 중앙부를 왁스로 감싼다. 이후 베이스플레이트 왁스로 시편의 주위에 박스를 형성한다(그림 7-3).

④ 납착용 매몰재를 제조자의 지시에 따라 혼합하여 매몰을 하고서 15분 정도 방치한다(그림 7-4).

⑤ 매몰재가 경화된 것을 확인하고서 유리판에서 떼어낸 다음 steam cleaner로 왁스를 깨끗하게 제거한다. 이후 시편 블록을 내화벽돌 상에 올려놓고 기공용 버너로 가열하여 건조한 다음 납재를 시편 사이의 중앙부 틈에 끼우고 융제를 도포한다(그림 7-5).

⑥ Blow pipe의 환원대 불꽃으로 납착부를 가열하여서 납착한다(그림 7-6).

⑦ 매몰재를 제거한 다음 납착부 주위에 잔류하는 산화물을 금속 brush로 제거한다. 이어서 납착부 주위에 잔류하는 여분의 납재를 paper cone으로 조심스럽게 연마하여 제거하고 실리콘 포인트로 마무리 연마를 한다.

⑧ 준비한 시편을 재료시험기에 고정하고 crosshead 속도 0.5 mm/min으로 인장력을 가하여 파절하중을 측정한 다음 시편의 단면적으로 나누어서 납착부의 인장강도를 MPa 단위로 계산한다.

> **참조** 납착부가 매몰재 블록의 표면으로부터 너무 깊게 매몰되면 납착이 용이하지 않으므로 #240 SiC 연마지로 연마하여 높이를 낮춘다.

3) 시험결과의 평가 및 비교

① 시험결과가 납착부의 인장강도에 대한 요구조건을 만족하는지 확인해보자.

② 인장시험 후 납착부의 파절 양상을 조사해보자.

그림 7-1.

그림 7-2.

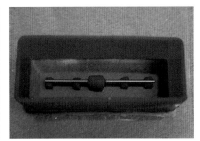
그림 7-3.

그림 7-4.

그림 7-5.

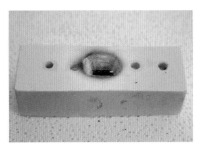
그림 7-6.

2. 납착부의 부식저항성 시험

1) 실습기구 및 재료

10×5×1 mm 합금판 4개, 고정장치, 납재, 융제 등.

2) 시험절차

① 준비한 10×5×1 mm 시편 2개를 0.2±0.1 mm 간격이 되도록 고정한 다음 제조자가 추천하는 납재와 융제를 사용하여 납착한다.

② 납착부 주위에 잔류하는 여분의 납재를 제거한 다음 #240–#1,200 SiC 연마지 단계까지 순차적으로 연마한다.

③ 준비한 시편을 각각 37±1℃ 0.1 mol/ℓ 젖산용액과 0.1 mol/ℓ 염화나트륨 용액에 7일 동안 침지한 다음 증류수 세척, 10% 암모니아수 세척 및 증류수 세척을 하고서 건조한다.

④ 부식 시편과 부식하지 않은 시편의 표면을 확대하지 않고 육안으로 검사한다.

3) 시험결과의 평가 및 비교

① 납착부의 부식 양상을 조사해보자.

② 부식시험의 결과가 부식저항성의 요구사항을 만족하는지 확인해보자.

Chapter

8

고분자계 수복재료

 실 습 목 적

· 치과용 고분자계 수복용 재료의 분류에 대하여 공부한다.
· 치과용 고분자계 수복용 재료의 성질을 이해하고 임상적용 시의 유의사항에 대하여 공부한다.

I 기초지식

1. 콤포짓트 레진의 조성

콤포짓트 레진은 기질을 구성하는 레진, 분산상인 무기 필러(filler), 결합제(coupling agent) 및 중합개시제와 중합촉진제 등으로 구성되며, 그의 성질은 레진과 필러의 구성 및 중합방법에 의존한다.

1) 기질 레진

중합수축을 줄이기 위해 Bis-GMA (bisphenol A glycidyl methacrylate) 또는 UDMA (urethane dimethacrylate)와 같은 다관능 메타크릴계 레진이 주로 사용되고 있다. 이들 레진은 점도가 높으므로 TEGDMA (triethylene glycol dimethacrylate)와 같은 희석제를 혼합하여 사용한다.

2) 무기 필러

무기 필러는 콤포짓트 레진의 물성을 강화하기 위해 첨가한다. 석영 미분말, 리튬이나 바륨 등의 산화물을 포함하는 규산염 글라스, 글라스−세라믹스(glass−ceramics), 콜로이드 실리카(collodial silica), sol−gel 법에 의해 복합화한 구상의 실리카 또는 지르코니아 등이 사용되고 있다. 이외에도 필러의 배합율을 높이기 위해 유기질 복합 필러(prepolymerized filler)가 사용되고 있다.

3) 실란 결합제

무기 필러와 유기 레진이 결합되지 않으면 원하는 물성을 얻기가 어렵기 때문에 이들 사이의 화학적인 결합을 유도하기 위해서 무기 필러의 표면을 실란 결합제(silane coupling agent)로 처리하며, 치과 영역에서는 γ−methacryloxypropyl trimethoxy silane (γ−MPTS)이 널리 사용되고 있다. γ−MPTS의 가수분해 후 규산염 세라믹 미분말을 처리하면 이것이 무기 필러와 기질 레진 사이의 결합을 커플링하게 된다(그림 8-1).

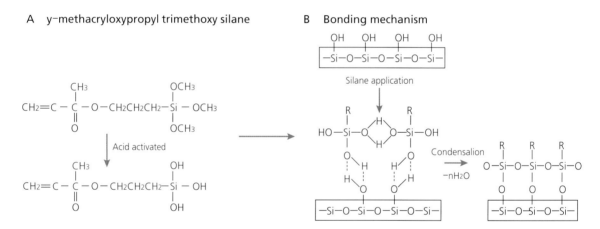

그림 8-1. 실란의 가수분해(A) 및 규산염 세라믹의 실란처리 과정(B)

4) 중합개시제와 중합촉진제

콤포짓트 레진의 경화는 화학중합(self−cured), 광중합(light−cured) 및 이 둘을 겸하는 이중중합에 의해서 일어날 수 있다. 충전용 콤포짓트 레진에서는 임상적용의 용이성 때문에 광중합형을 선호한다.

(1) 화학중합형

화학중합형 제품은 분말과 액 또는 universal paste와 catalyst paste로 제공된다. 중합반응은 실온에서 유기과산화물(예: benzoyl peroxide)과 방향족 3차 아민(예: N,N−dimethylaminoethyl methacrylate)이 반응하여 자유 라디칼(free radical)을 생성함에 따라 진행된다(그림 8-2).

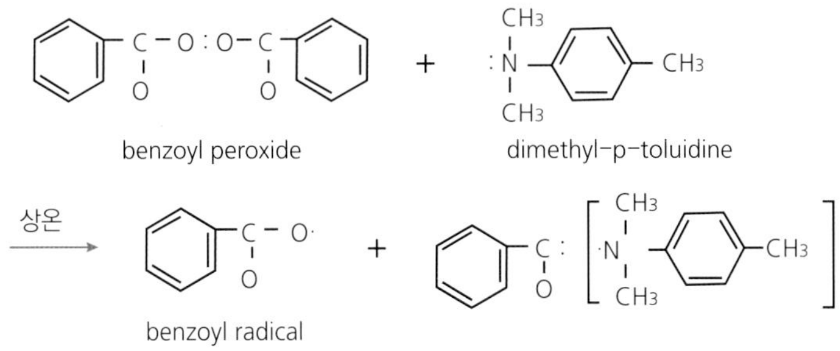

그림 8-2. **benzoyl peroxide와 dimethyl-p-toluidine의 화학반응에 의해 자유 라디칼이 생성되는 반응.**

(2) 광중합형

광중합형 제품은 하나의 페이스트(paste) 형태로 제공된다. 중합반응은 가시광선을 흡수하는 광증감제(예: comphorquinone)와 지방족 3차 아민(예: N,N-dimethylaminoethyl methacrylate)이 반응하여 라디칼을 생성함에 따라 진행된다(그림 8-3). 초기에는 자외선 중합형 레진이 사용되었지만, 현재는 중합두께와 생물학적 위해성 등의 문제로 인해 420-480 nm 범위의 가시광선을 조사할 때 라디칼이 생성되는 레진이 사용되고 있다.

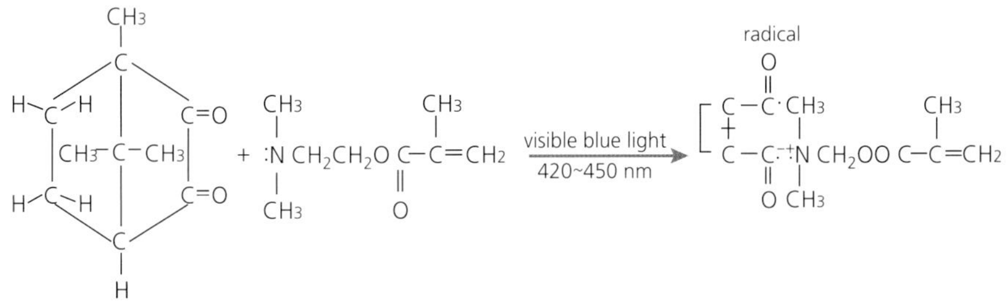

그림 8-3. comphorquinone과 N,N-dimethylaminoethyl methacrylate에 가시광선을 조사하였을 때 자유 라디칼이 생성되는 반응

2. 필러의 크기에 따른 분류

1) 거대입자형(macrofilled)

초기에는 평균입경 15-100 μm 범위의 비교적 큰 분쇄입자들이 사용되었지만 근래에는 1-10 μm 범위의 입자들이 주로 사용되고 있고, 큰 필러입자들의 안정화를 위해서 미세입자(0.04 μm)가 1-3% 정도 첨가되고 있다. 필러로는 분쇄된 석영 및 strontium, barium, zirconium 등의 산화물을 함유하는 글라스가 사용되고 있다. 거대입자형에서는 마무리 연마 과정에서 큰 필러 입자들의 탈락이 일어나므로 매끈한 표면을 얻기가 어렵다.

2) 미세입자형(microfilled)

평균입경 0.01-0.1 μm 범위 입자들이 사용되며, 주로 0.04-0.06 μm 범위 입자들이 많이 사용된다. 미세입자형에는 레진에 필러를 직접 첨가하여 제조하는 균일형(homogeneous microfilled)과 레진에 평균크기 30-65 μm 범위의 유기질 복합필러를 첨가하여 제조하는 불균일형(inhomogeneous microfilled)이 있으며, 불균일형이 균일형에 비해 필러 함량이 높으므로 양호한 기계적 성질을 나타낸다.

3) 혼합형(hybrid)

혼합형은 micron hybrid, submicron hybrid, heavy filled hybrid로 분류하고 있다. micron hybrid는 평균입경 1-3 μm 거대입자에 미세입자를 7-15% 첨가하여 제조하며, 거대입자형에 비해서 큰 입자들이 감소하므로 보다 매끈한 연마면을 얻을 수 있다. submicron hybrid는 평균입경 1 μm 이하의 입자에 더 많은 양의 미세입자를 첨가하여 제조하며, 대부분의 입자들이 1 μm 이하이고 큰 입자도 2 μm를 넘지 않으므로 submiciron hybrid라고 명명하고 있다. Heavy filled hybrid는 평균 입자크기와는 큰 차이를 보이는 1-10 μm에 달하는 입자들이 첨가되고 있으며, 큰 입자들은 제품에 따라서 다양한 차이를 보인다. Heavy filled hybrid는 외력의 작용 시 변형이 작고 파절저항성은 크지만 매끈한 연마면을 얻기가 어렵다.

3. 광중합기

광중합기의 광원으로는 할로겐 램프, 발광다이오드(light-emiting diode), 플라즈마-아크(plasma-arc) 등이 사용되고 있다.

1) 할로겐 램프 중합기

50-100 W 출력의 할로겐 램프가 사용된다. 할로겐 램프에서 다양한 파장광이 방출되므로 필터를 통과시켜서 레진의 중합에 적합한 청색광(약 400~500 nm)만을 출력밀도 300~1,200 mW/cm²로 방출한다. 전원의 약 0.5%만 광출력으로 사용되고 나머지 99.5%는 열로 전환되므로 전구부품의 열화가 심하며, 이러한 이유 때문에 램프 수명을 약 100시간으로 제한하고 있다. 연속 사용 시에도 거의 출력이 저하되지 않지만, 필터가 손상되면 긴 파장광이 방출되어서 중합기 선단의 온도가 상승하거나 광중합에 부적절한 광이 방출될 수 있으므로 정기적인 검사와 부품의 교체가 요구된다.

2) LED 중합기

LED (Light-emitting diode)는 전류가 흐르면 빛을 방출하는 반도체인 발광 다이오드이다. LED 중합기에서는 440~480 nm 범위의 청색광만이 방출되므로 필터를 사용하지 않는다. 낮은 출력에서 작동하므로 충전식과 이동식으로 사용할 수 있고, 열 발생이 적기 때문에 별도의 냉각을 위한 송풍기를 필요로 하지 않는다. 에너지 효율은 약 16%로 높지만 연속 사용하여 열이 발생하는 경우 출력효율이 크게 저하될 수 있다.

3) 플라즈마-아크 중합기

이온화되며 플라즈마를 만들어 내는 제논 가스가 사용되며, 380~500 nm 범위 파장광을 1,100 mW/cm^2 수준으로 방출하는 것이 가능하다. 광출력이 높으므로 레진의 중합에 짧은 시간이 소요되지만, 광유도기 선단부가 좁으므로 넓은 부위의 중합에는 효과적이지 않다.

Ⅱ 고분자계 수복용 재료의 분류 및 요구사항

치과용 고분자계 수복용 재료의 분류와 요구사항에 대해서는 ISO 4049:2009(E)에서 규정하고 있다.

1. 분류

치과용 고분자계 수복용 재료는 2가지 유형으로 분류한다.
유형 1: 제조업체에서 교합면 관련 수복에 적합하다고 명시한 고분자계 수복용 재료.
유형 2: 그 이외의 모든 고분자계 수복용 재료 및 합착용 재료.

고분자계 수복용 재료는 3가지 등급으로 분류한다.
등급 1: 경화가 중합개시제와 중합촉진제의 혼합으로 일어나는 재료(자가중합재료).
등급 2: 경화가 청색광이나 열과 같은 외부에너지원에 의해 활성화되어서 일어나는 재료.

등급 2의 재료는 다음과 같이 세분한다.
그룹 1: 구강 내에서 에너지를 적용하는 재료.
그룹 2: 구강 외부에서 에너지를 적용하는 재료.

등급 3: 외부 에너지의 적용에 의한 중합과 자가중합이 모두 가능하도록 제조된 재료(이중중합 재료).

2. 요구사항

고분자계 수복용 재료의 굴곡강도는 표 8-1에 표시한 값보다 크거나 같아야 한다. 표 8-2는 합착용 재료를 배제한 수복용 재료의 물리, 화학적 요구사항을 나타낸 것이다.

표 8-1. **고분자계 수복용 재료의 굴곡강도**

재료 구분		굴곡강도 (MPa)
유형 1	등급 1	80 MPa
	등급 2 그룹 1	80 MPa
	등급 2 그룹 2	100 MPa
	등급 3	80 MPa
유형 2	등급 1	50 MPa
	등급 2 그룹 1	50 MPa
	등급 3	50 MPa

표 8-2. **고분자계 수복용 재료의 물리, 화학적 요구 사항**

재료 구분	작업시간(s)	경화시간(min)	중합깊이[a](mm)	물흡수도(ug/㎣)	용해도(ug/㎣)
	최소	최대	최소	최대	최대
등급 1	90	5	–	40	7.5
등급 2	–	–	1 (불투명 색조) 1.5 (그 외)	40	7.5
등급 3	90	10	–	40	7.5

[a] 모든 재료의 중합깊이는 제조자가 제시한 값보다 0.5 mm 이하로 낮아서는 안된다.

Ⅲ 실습내용

1. 광중합형 콤포짓트 레진의 중합깊이 시험

1) 기초지식

광중합형 콤포짓트 레진에서 유효한 빛의 도달거리는 2–3 mm 정도이므로 두께가 두꺼워지면 심층부로 갈수록 미중합의 정도가 커지게 된다. 본 시험에서는 원통형의 금형에 콤포짓트 레진을 충전하고 광을 조사했을 때의 중합깊이에 대하여 살펴보고자 한다.

2) 실습기구 및 재료

A2 shade 광중합형 콤포짓트 레진, 제조자가 추천하는 광중합기, 직경 4 mm × 높이 6 mm 시편제작용 금형, 흰색 필터지, 금형을 덮을 수 있는 크기의 유리판 2장, 투명한 celluloid strip, 버니어캘리퍼스, 보안경 등.

3) 시험절차

① 시편제작용 금형의 표면에 실리콘 그리스를 얇게 도포한 다음 흰색 필터지와 celluloid strip을 개재하고 유리판 위에 올려놓는다(그림 8-4).
② 시험재료를 테프론제 금형에 약간 넘치도록 채우고 또 다른 celluloid strip을 개재한 상태에서 상부 유리판으로 덮고 압력을 가하여 여분의 재료를 제거한다.
③ 제조자가 추천하는 시간동안 광을 조사하고(그림 8-5), 중합층의 두께를 조사한다.

4) 시험결과의 평가 및 비교

① 중합깊이가 표 8-2의 요구사항을 만족하는지 조사해보자.
② 밝은 색조와 어두운 색조의 재료를 광중합한 후 중합깊이의 차이를 비교해보자.

참조 광을 조사했을 때 두께 전체에 걸쳐서 경화가 되었다면 상부 표면과 바닥면의 경도 값을 비교해보자.

그림 8-4.

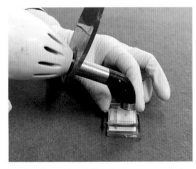

그림 8-5.

2. 광중합형 콤포짓트 레진의 3점 굴곡 시험

1) 실습기구 및 재료

$(2\pm0.1)\times(2\pm0.1)\times(25\pm2)$ mm 크기의 시편제작용 금형(그림 8-6), 금형을 덮을 수 있는 크기의 유리판, 흰색 필터지, 소형 클램프, 두께 50 ± 30 μm의 투명한 celluloid strip, 37 ± 1℃에서 유지되는 수조, 제조자가 추천하는 광중합기, 마이크로미터, 재료시험기 등.

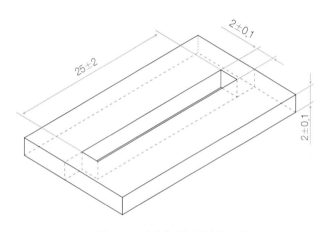

그림 8-6. **시편제작용 금형의 도면.**

2) 시험 시편의 준비 절차

① 금형 바닥에 흰색 필터지와 투명한 celluloid strip을 깔고서 테프론제 시편제작용 금형을 나사로 고정한다 (그림 8-7).

② 금형에 시험 재료를 약간 넘치도록 채우고 celluloid strip을 개재한 상태에서 유리판으로 덮고 압력을 가하여 여분의 재료를 제거한 다음 제조자가 추천하는 시간 동안 광을 조사한다(그림 8-8). 광조사 부위가 넓은 경우에는 이전에 조사한 부위와 약 1/2 정도 중첩이 되도록 하며 광을 조사한다. 시편의 길이 전체에 걸쳐서 권장된 시간 동안 광조사가 이루어지도록 이 과정을 되풀이한다. 이러한 광조사 과정을 시편의 반대쪽

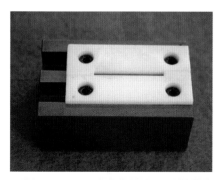

그림 8-7.

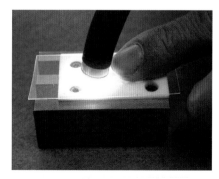

그림 8-8.

면에 대해서도 반복한다.

③ 시편을 금형과 함께 37±1℃ 수조에 15분간 보관한 다음 금형으로부터 조심스럽게 분리한다.

④ 시편의 인장 표면을 #400-1,000 SiC 연마지 단계에 걸쳐서 조심스럽게 연마한 다음 시험이 이루어질 때까지 1시간 동안 37±1℃ 물속에 보관한다.

3) 시험절차

① 준비한 시편의 중앙부 크기를 ±0.01 mm 정확도에서 측정한 다음 3점 굴곡시험용 장치에 올려놓고 cross-head speed 0.75±0.25 mm/min으로 3점 굴곡시험을 실시한다(그림 8-9).

② 시험 시편이 파절되는 경우에는 식 8-1을 이용하여 3점 굴곡강도를 MPa 단위로 계산한다.

식 8-1

$$\sigma = \frac{3FL}{2bh^2}$$

여기에서, F는 측정된 파절하중 값, L은 지지점 사이의 거리, b와 h는 시험 직전에 측정한 시편 중심부의 폭과 두께이다.

③ 만약 시험 시편이 파절되지 않고 구부러지는 경우, ASTM D790-10에서는 시편 인장면 중심부의 0.2% 영구변형을 유발하는 처짐 $0.2\%\delta_p$를 식 8-2를 이용하여 계산한다. 이후 하중-변위(F-δ) 선도로부터 Fp 값을 얻은 다음 항복강도를 식 8-3을 이용하여 MPa 단위로 계산한다.

식 8-2

$$0.2\%\delta_p = \frac{0.002L^2}{6h}$$

식 8-3

$$\sigma_p = \frac{3F_pL}{2bh^2}$$

4) 시험결과의 평가 및 비교

시험 결과가 표 8-1에 표시된 굴곡강도의 요구사항을 만족하는지 조사해보자.

그림 8-9. **3점 굴곡시험.**

복합레진 구입 시 검토사항

상 품 명: 검 토 의 뢰 일:

제 조 회 사: 검 토 결 과:

유   형: 검 토 자:

1. 일반사항

    (1) 형태   _____

2. 사용설명서

    (1) 레진기질의 유기성분 및 필러 입자의 크기와 부피비율   _____

    (2) 임상적응증   _____

    (3) 사용 시 주의사항, 혼합비 및 혼합방법   _____

    (4) 중합 방법 및 중합 깊이   _____

    (5) 작업시간 및 경화시간   _____

    (6) 추천되는 이장재   _____

    (7) 연마방법   _____

    (8) 특별 지시사항(독성, 위해성, 가연성, 조직 자극성 등)   _____

3. 출하상태

   1) 포장

    (1) 성분의 질에 역효과를 주지 않는 용기나 캡슐   예 _____ 아니오 _____

    (2) 재료를 보호할 수 있는 포장   예 _____ 아니오 _____

   2) 표시

    (1) 제품명 및 제품번호   _____

    (2) 색 코드 또는 색 가이드 관련 설명   _____

    (3) 보관조건   _____

    (4) 총 무게   _____

    (5) 유효기간   _____

    (6) 교합면 수복에 적합한지 여부   _____

    (7) 방사선불투과성 여부   _____

    (8) 중합방법   _____

Chapter

9

치과용 시멘트

- 치과용 시멘트의 유형에 따른 성분과 경화특성에 대하여 공부한다.
- 치과용 시멘트의 유형별 조작방법을 습득한다.
- 치과용 시멘트의 유형별 성질을 이해하여 임상 상황에 따라서 선택할 수 있도록 공부한다.

I 기초지식

치과용 시멘트와 치질 사이의 결합에서는 맞물림(interlocking or ancharge)에 의한 고정효과가 결합력의 주체이므로 접착재라는 용어보다 합착재라는 용어가 널리 사용되고 있다. 치과용 시멘트는 기질의 조성에 따라서 인산염계, 페놀염계, 폴리카르복실레이트계 및 레진계로 분류하며 여러 가지 용도로 사용되고 있다(표 9-1).

표 9-1. 치과용 시멘트의 분류

분류	종류	주요용도	2차적 용도
인산계	인산아연 시멘트	합착	고강도 베이스
폴리카르복실레이트계	폴리카르복실레이트 시멘트 글라스아이오노머 시멘트	합착 합착, 충전	이장 이장
페놀염계	산화아연유지놀 시멘트	임시충전, 임시합착, 이장	치주용 드레싱 팩
레진계	콤포짓트형 레진 시멘트 자가접착형 레진 시멘트	합착 합착	충전 충전

1. 인산아연 시멘트

1) 조성과 경화반응

인산아연 시멘트는 분말과 액으로 구성되어 있다. 분말의 주성분은 산화아연(ZnO)이고 여기에 산화마그네슘(MgO), 알루미나(Al_2O_3), 실리카(SiO_2), 삼산화비스무트(Bi_2O_3) 등을 첨가하여 성질을 조절하고 있다. 산화마그네슘은 시멘트 분말의 하소(calcination) 온도를 낮추는 작용을 하고, 삼산화비스무트는 인산에 대한 산화아연의 반응을 지연시키는 작용을 한다. 액은 인산수용액에 알루미늄(Al)과 아연(Zn) 등을 미량 첨가하고 있다. 알루미늄과 아연은 부분적으로 인산과 중화반응을 일으켜서 반응속도를 지연시키는 완충작용을 한다.

분말과 액을 혼합하면 산화아연과 인산 사이의 산-염기 반응으로 염이 생성되며 경화반응이 진행된다. 분말의 약 25%가 액과 반응하여 가용성의 제1인산아연($Zn(H_2PO_4)_2 \cdot 2H_2O$), 난용성의 제2인산아연($ZnHPO_4 \cdot 3H_2O$) 그리고 불용성의 제3인산아연($Zn_3(PO_4)_2 \cdot 4H_2O$)이 생성되는 발열반응이 일어나며, 이 과정에서 혼합물의 점도가 서서히 증가하며 경화가 일어난다. 인산아연 시멘트를 혼합할 때는 냉각한 두꺼운 유리 혼합판과 스테인리스 강제 스파튤라가 사용된다. 반응열에 의해 경화가 촉진되므로 발열을 억제하기 위해서 액에 분말을 소량씩 첨가하며 혼합한다. 경화시간은 분말과 액의 조성, 분말의 소성온도, 분말-액 비 및 혼합조건 등에 따라서 변화된다. 경화를 지연시키는 주된 인자들을 표 9-2에 표시하였다.

2) 성질

인산아연 시멘트는 압축강도가 높고 단열효과가 크므로 합착재와 기저재로서 사용된다. 초기 산도가 높으므로 건전 상아질이 얇은 경우에는 이장재와 함께 사용하도록 권장하고 있다. 경화체는 단단하고 부서지기 쉬운 성질을 보이므로 합착 후 과잉의 재료는 제거가 용이하다. 경화반응이 진행되는 동안 주위의 경조직이나 수복물과 화학적인 반응이 일어나지 않으므로 수복물에 대한 유지력은 기계적인 맞물림으로 얻어진다.

표 9-2. **인산아연 시멘트의 경화를 지연시키는 인자들**

제조 시 인자	분말	• 입자의 크기가 큰 경우 • 높은 온도에서 소결이 된 경우 • 비스무트가 첨가된 경우
	액	• 물의 양이 감소된 경우 • Al, Zn이 첨가된 경우
사용 시 인자	연화	• 혼합 시 온도가 낮은 경우 • 혼합속도가 느린 경우 • 혼합시간이 짧은 경우 • 분액비(powder/liquid ratio)가 감소된 경우 • 액 성분 중의 수분이 증발된 경우

2. 폴리카르복실레이트 시멘트

1) 조성과 경화반응

분말의 주성분은 인산아연 시멘트와 마찬가지로 산화아연이고 여기에 소량의 산화마그네슘 또는 산화주석이 첨가되며, 강도의 개선을 위해 알루미나(Al_2O_3)와 실리카(SiO_2)가 배합된다. 액의 주성분은 폴리아크릴 산 수용액으로, 시판되는 제품의 경우 분자량 25,000~50,000의 32~42% 수용액이 사용된다. 액의 점도가 높을 경우 조작성이 떨어지므로 제조사에서는 이타콘산과 같은 카르복실산과 공중합을 유도하거나 수산화나트륨을 첨가하여 pH를 조절하는 방식으로 시멘트 액의 점도를 조절하고 있다.

분말과 액을 혼합하면 산화아연과 폴리아크릴 산의 산-염기 반응으로 분말의 표층이 용해되며 금속이온(Zn^{2+} 또는 Mg^{2+})이 방출되고 이들 금속 이온들이 카르복실기(-COO-)와 반응하여 가교화된 염이 생성되며 경화가 일어난다(그림 9-1). 경화시간은 인산아연시멘트에서는 혼합방법에 따라서 차이가 크지만 폴리카르복실레이트 시멘트에서는 그다지 차이를 보이지 않는다. 금속에 대한 접착성이 있으므로 시멘트의 혼합 시에는 혼합지와 플라스틱 스파튤라가 사용된다.

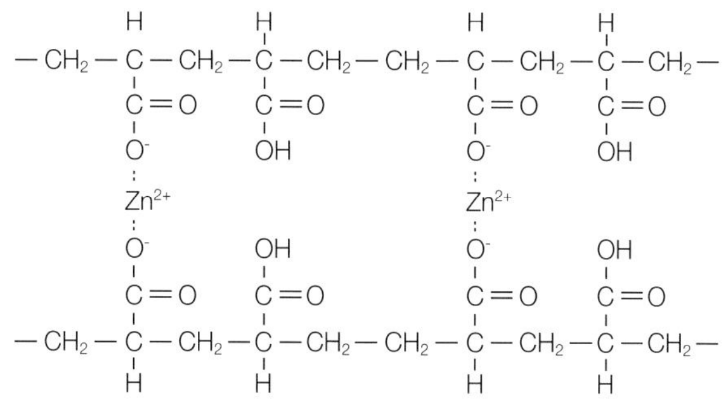

그림 9-1. **폴리카르복실레이트 시멘트의 경화반응.**

2) 성질

압축강도는 인산아연 시멘트보다 낮지만 합착력은 거의 동등하다. 인산아연 시멘트와 달리 치질 및 금속과의 접착성이 있으므로 미세누출이 적고, 또한 폴리아크릴 산의 분자량이 커서 상아세관을 통과하기가 어렵기 때문에 생체친화성이 우수하고 미세누출이 적다. 액을 냉장보관할 경우 점도가 증가되어서 시멘트의 혼합이 곤란하므로 냉장보관하지 않고 사용하도록 권장하고 있다.

3. 글라스아이오노머 시멘트(GIC)

1) 조성과 경화반응

분말은 실리카(SiO_2), 알루미나(Al_2O_3), 불화칼슘(CaF_2) 등을 포함하는 산용해성 calcium fluoroaluminosilicate glass이고, 액은 폴리아크릴산 수용액을 주성분으로 하며, 산–염기 반응으로 경화한다. 액은 점도가 높고 시간이 경과하며 겔화되는 경향이 있으므로 시판되는 대부분의 제품에서는 이러한 성질의 개선을 위해서 말레산, 이타콘산 등과 공중합을 유도하고 있고, 또한 경화에 오랜 시간이 소요되므로 단축을 위해 주석산(tartaric acid)을 첨가하고 있다.

분말과 액을 혼합하면 산–염기 반응으로 글라스의 표층이 용해되며 Na^+, Ca^{2+}, Al^{3+} 등의 양이온이 방출되고 이들 금속 양이온이 폴리아크릴산의 카르복실기(–COO–)와 반응하여 겔화됨에 따라 경화가 일어난다. 초기 겔화는 Ca^{2+} 이온과 다음이온 사이에서 이온성 가교가 형성되어 일어나며 이 반응은 혼합개시 수분 후에 일어난다. 최종 겔화는 Al^{3+} 이온과 다음이온 사이의 반응으로 일어나며 혼합개시 1시간 정도 후에 시작된다(그림 9-2).

2) 성질

압축강도가 인산아연 시멘트보다 높고, 치질 및 금속에 대하여 접착성이 있으며, 불소가 유리되므로 항균성이 있다. 경화반응 중 수분에 대한 민감성이 있으므로 액상 환경에 노출되면 강도가 크게 저하되지만 경화체는 친

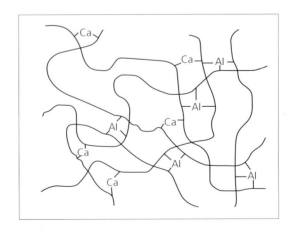

그림 9-2. **GIC의 경화반응.**

수성 겔로 간주되므로 액상 환경에서 본래의 강도를 발휘한다. 경화체가 건조되면 이수로 인한 수축이 일어나며 균열이 생성되므로 강도가 크게 저하된다.

4. 레진강화형 GIC

1) 조성 및 경화반응

종래형 GIC에 HEMA와 메타크릴 그룹을 갖는 폴리아크릴산 공중합체 그리고 광중합 개시제와 촉진제를 첨가하고 있다. 종래형 GIC에서는 분말과 액의 혼합, 수분에 대한 민감성 그리고 긴 경화시간이 문제가 되고 있다. 분말과 액의 혼합과정을 단순화하기 위하여 capsule-triturator system이 도입되었고, 수분에 대한 민감성 및 긴 경화시간의 문제점을 개선하기 위해서 분말과 액을 혼합하여 GIC의 산-염기 반응을 유도한 다음 광을 조사하여 레진의 라디칼 중합을 유도하고 있다.

2) 성질

레진의 첨가로 인하여 경화가 조기에 일어나므로 GIC의 수분에 대한 민감성이 개선되었다. 압축강도는 인산아연 시멘트 및 폴리카르복실레이트 시멘트보다 우수하고 또한 종래형 GIC보다 경화가 빠르므로 초기강도가 우수하다. 종래형 GIC와 마찬가지로 법랑질 및 금속에 대하여 접착성이 있다.

5. 레진 시멘트

1) 조성 및 경화반응

레진 시멘트는 저분자량의 모노머로 희석한 diacrylate oligomer (Bis-GMA, UDMA 등), 실란 처리한 글라스 필러, 중합개시제와 촉진제(과산화물과 아민) 등을 함유한다. 피막두께의 감소를 위해서 필러 입자의 크기(20 ㎛ 이하)와 함량을 수복용보다 작게 감소시키고 있다. 레진 시멘트에는 콤포짓트형 레진 시멘트와 자가접착형 레진 시멘트가 있다. 콤포짓트형 레진 시멘트는 접착성이 없으므로 기본적으로 접착제와 함께 사용하도록 권장하고 있다. 반면 자가접착형 레진 시멘트는 산부식성이 있는 접착성 모노머를 함유하므로 치질 및 금속에 대한 접착성이 있을 뿐만 아니라 별도의 산부식 절차 없이 수복물의 합착에 사용하므로 zero step resin cement라고 언급하기도 한다.

레진 시멘트는 자가중합, 광중합 또는 이중중합에 의해 경화된다. 자가중합형 레진 시멘트는 two paste type으로 이루어져 있으며, 혼합을 하면 과산화벤조일과 방향족 3차 아민 사이의 반응으로 자유 라디칼이 생성되어 경화가 일어난다. 금속과 같은 불투명한 수복물의 합착에 널리 사용되고 있다. 광중합형은 one paste type으로, 광을 조사하면 캄파퀴논이 여기되어 지방족 3차 아민과 반응하여 자유 라디칼이 생성됨에 따라 경화가 일어난다.

Laminate veneer와 같이 투광성이 있는 얇은 세라믹 수복물의 합착에 널리 사용되고 있다. 이중중합형은 two paste type으로, 광을 조사하면 캄파퀴논이 여기되어 지방족 3차 아민과 반응하여 자유 라디칼을 생성하지만 광을 조사하지 않은 상태에서도 과산화벤조일과 방향족 3차 아민이 반응하여 자유 라디칼을 생성함에 따라서 경화가 일어난다. 크고 두꺼운 세라믹 수복물을 레진 시멘트로 합착할 때는 세라믹 층을 통한 광중합 불완전을 해소하기 위해서 이중중합형을 더 선호한다. 한편 화학중합만으로는 중합이 불충분할 수 있기 때문에 광이 도달하는 부위에 대해서는 광조사가 필수이다.

2) 성질

레진 시멘트는 압축강도가 높고 구강 내에서 거의 불용성이지만 수경성 시멘트에 비해서 더 높은 세포독성을 나타낸다. 필러의 함량이 많을수록 재료는 강해지고 중합수축은 감소한다. 색상, 투명도, 변연부 심미성 등은 수경성 시멘트에 비해서 우수하다.

6. 산화아연유지놀(ZOE) 시멘트

1) 조성 및 경화반응

분말의 주성분은 산화아연이고 취성을 감소시키기 위해 로진(rosin)을 배합하고 있다. 가소제로써 스테아르산아연이 첨가되며 강도를 높이기 위해 초산아연이 미량 첨가된다. 액은 유지놀에 가소제로 올리브유를 첨가하고 있다. ZOE 시멘트는 압축강도가 20 MPa 정도로서 합착에 사용하기에는 너무 낮다. 이를 개선하기 위해, 분말로서 70% 산화아연과 30% 알루미나를 주성분으로 하고 액으로서 62.5% ortho-EBA (ortho-ethoxy benzoic acid)와 37.5% 유지놀을 함유하는 EBA 시멘트, 그리고 분말로서 80% 산화아연과 20% PMMA를 함유하는 폴리머 강화형 산화아연유니놀 시멘트 등이 도입되었다. 유지놀은 정향나무 기름의 유도체로서 종종 과민반응을 보이는 환자가 있기 때문에 유지놀을 포함하지 않는 비유지놀 산화아연 시멘트가 도입되었다. 이 시멘트는 산화아연과 방향족 오일(aromatic oil)을 주성분으로 하며, 그 외에도 올리브유, 바셀린(petroleum jelly), 올레산(oleic acid), 밀납 등을 함유한다.

ZOE 시멘트의 경화는 산화아연과 유지놀 사이의 킬레이트 반응으로 일어난다. 실온에서는 경화시간이 길지만 구강 내에서는 온도와 습도가 높으므로 경화가 촉진된다.

2) 성질과 용도

ZOE 시멘트는 조성이 다양하며 제품은 분말-액 또는 paste 형태로 공급된다. ZOE 시멘트와 EBA 시멘트 모두 치수에 대한 위해성을 나타내지 않으므로 깊은 와동의 이장재로서 적용할 수 있지만 노출된 치수에 접촉 시 염증을 유발한다. 시멘트 경화체는 구강 내에서 용해도가 크므로 영구 합착재나 충전재로서는 적합하지 않다. 이장, 복수, 임시충전, 임시합착 등에 사용한다.

7. 규산칼슘 시멘트

1) 조성 및 경화반응

1824년에 영국의 Joseph Aspidin에 의해 포틀랜드 시멘트라는 이름으로 소개가 되었다. 구성성분은 규산삼칼슘과 규산이칼슘을 주성분으로 하고 여기에 소량의 calcium aluminate, calcium sulfate 그리고 방사성 불투과성 원소로서 비스무트염, 지르코니아 또는 탄탈륨 산화물 등을 첨가하고 있으며 광물성 삼산화물 응집체(mineral trioxide aggregate, MTA) 시멘트라고도 부른다.

MTA를 물과 혼합하면 규산칼슘 수화물(calcium silicate hydrate)과 수산화칼슘 수화물(calcium hydroxide)이 생성되며 단단한 경화체가 만들어진다. 기존의 분말로 제공되는 MTA 제품은 사용할 때 액상재료와 혼합해야 하는 불편함이 있을 뿐만 아니라 또한 혼합물은 불균질하고 많은 기포를 함유할 수 있다. 이러한 문제점을 개선하기 위해 MTA 분말을 액상의 고분자 및 감수제(water reducing agent) 등과 혼합한 premixed 상태의 근관충전용 실러로 개발되었다.

2) 성질과 용도

규산칼슘 시멘트는 pH 12 정도의 강한 알칼리성을 보이므로 항균작용이 있다. 수산화칼슘 시멘트보다 밀폐능과 치수반응성이 더 우수하며 생체활성을 보이므로 경조직 형성능이 있는 것으로 언급되고 있다. MTA 제품은 초기에는 신경치료 수술 시 치근단 충전용으로 사용되었지만 근래에는 근관충전, 직접치수복조술, 치수절단술, 치근단충전, 치근단형성술, 치수천공 등으로 그의 적용 범위가 확대되었다.

Ⅱ 치과용 시멘트의 분류 및 요구사항

1. 치과용 수경성 시멘트의 분류 및 요구사항

ISO 9917−1:2007(E)에서 규정하고 있는 치과용 수경성 시멘트에 대한 요구사항을 표 9-3에 표시하였다.

표 9-3. **치과용 수경성 시멘트의 요구사항**

화학적 유형	용도	피막두께 (μm)	순 경화시간 (min)		압축강도 (MPa)	산용해도 (mm)	산가용성 As 함량 (mg/kg)	산가용성 Pb 함량 (mg/kg)
		최대	최소	최대	최소	최대	최대	최대
인산아연	합착용	25	2.5	8	50	0.30	2	100
폴리카르복실레이트	합착용	25	2.5	8	50	0.40	2	100
글라스아이오노머	합착용	25	1.5	8	50	0.17	−	100
인산아연	베이스/이장재	−	2	6	50	0.30	2	100
폴리카르복실레이트	베이스/이장재	−	2	6	50	0.40	2	100
글라스아이오노머	베이스/이장재	−	1.5	6	50	0.17	−	100
글라스아이오노머	수복용	−	1.5	6	100	0.17	−	100

2. 치과용 레진강화형 GIC의 분류 및 요구사항

ISO 9917−2:2010(E)에서는 치과용 레진 강화형 GIC를 경화특성에 따라 3가지 등급으로 분류하며 그의 요구사항을 표 9-4에 표시하였다.

등급 1 : 중합성 성분의 경화반응이 구성성분의 혼합에 의하여 화학적으로 활성화되는 재료.
등급 2 : 중합성 성분의 경화반응이 광활성화되는 재료.
등급 3 : 중합성 성분의 경화반응이 광활성화도 되고 구성성분들의 혼합에 의해서 화학적으로도 활성화되는 재료.

표 9-4. **치과용 레진강화형 GIC의 요구사항**

용도	피막도(μm)	작업시간(min)	경화시간(min)[a]	굴곡강도(MPa)
	최대	최소	최대	최소
합착용	25	1.5	8	10
베이스/이장재	–	1.5	6	10
수복용	–	1.5	6	25

[a] 등급 1과 등급 3 재료에 한정함. 등급 3 재료는 광을 조사하지 않고 시험함.

3. 치과용 고분자계 시멘트의 분류 및 요구사항

ISO 4049:2009(E)에서는 치과용 고분자계 시멘트를 다음과 같이 3가지 등급으로 분류하며 그의 요구사항을 표 9-5에 표시하였다.

등급 1 : 경화가 중합개시제와 중합촉진제의 혼합에 의해 일어나는 재료(자가중합재료).
등급 2 : 경화가 청색광이나 열과 같은 외부에너지원에 의해서 활성화되어 일어나는 재료.
등급 2의 재료는 다음과 같이 세분한다.
　　그룹 1 : 구강 내에서 에너지를 적용하는 재료.
　　그룹 2 : 구강 외부에서 에너지를 적용하는 재료.
등급 3 : 외부 에너지의 적용에 의한 중합과 자가중합의 기전을 함께 갖춘 재료(이중중합 재료).

표 9-5. **합착용 고분자계 시멘트의 요구사항**

재료 구분	피막두께[a](μm)	작업시간(s)	경화시간(min)	물흡수도(μg/mm³)	용해도(μg/mm³)
	최대	최소	최대	최대	최대
등급 1	50	60	10	40	7.5
등급 2	50	–	–	40	7.5
등급 3	50	60	10	40	7.5

[a] 측정한 값은 제조자가 제시한 값보다 10 μm 이상 크지 않아야 한다.

4. 치과용 산화아연/유지놀 시멘트와 산화아연/비유지놀 시멘트

ISO 3107:2011(E)에서는 임시합착, 베이스 및 임시수복을 위해서 수복치과 영역에서 사용하는 물을 매체로 하지 않는 산화아연/유지놀 시멘트를 다음과 같이 2가지 유형으로 분류하며 그의 요구사항을 표 9-6에 표시하였다.

유형 1: 임시합착용.

유형 2 : 베이스 및 임시수복용.

표 9-6. 치과용 치과용 산화아연/유지놀 시멘트의 요구사항

용도	37℃에서의 경화시간 (min)		24시간 후 압축강도 (MPa)		피막두께 (μm)	산용해성 비소(As) 함량 (mg/kg[a])
	최소	최대	최소	최대	최대	최대
유형 1	1.5	10	–	35	25	2
유형 2	1.5	10	5	–	NA	2

NA: 적용하지 않음.

[a] mg/kg은 ppm과 동일한 단위이며 ppm은 더 이상 사용하지 않는 단위이다.

5. 근관충전용 재료의 분류 및 요구사항

ISO 6876:2012에서는 근관충전용 재료의 요구사항에 대하여 규정하고 있으며, 그의 요구사항을 표 9-7에 표시하였다.

1) 유동성

시험재료 (0.05 ± 0.005) ml를 유리판 중앙부에 올려놓고 혼합을 개시한 시점으로부터 180 ± 5초 후 유리판 무게를 포함하여 총중량 (120 ± 2) g 하중을 가하였을 때 10분이 경과한 후 퍼짐부의 직경은 17 mm 이상이 되어야 한다.

2) 작업시간

시험재료 (0.05 ± 0.005) ml를 유리판 중앙부에 올려놓고 제조자가 제시한 작업시간이 끝나기 15초 전에 유리판 무게를 포함하여 총중량 120 ± 2 g 하중을 가하였을 때 퍼짐부의 직경은 17 mm 이상이 되어야 한다.

3) 경화시간

무게 100 ± 0.5 g, 침 끝 직경 2 ± 0.1 mm 길모어 침으로 압흔이 형성되지 않을 때까지의 시간을 측정하였을 때 제조자가 제시한 값보다 10% 이상 길지 않아야 한다.

4) 피막두께

시험재료의 혼합물을 유리판의 중앙부에 올려놓고 혼합을 개시한 시점으로부터 180 ± 5초 후 150 N 하중을 수직으로 가하였을 때 피막두께는 50 μm 이하가 되어야 한다.

5) 용해도

직경 20±1 mm, 두께 1.5±0.1 mm 시편 2개를 3등급수 50±1 ml에 침지하고 37±1℃와 상대습도 95%에서 유지되는 항온항습기에서 24시간 동안 유지하였을 때 무게 감소가 3.0 질량%를 초과하지 않아야 하고, 또한 시료를 육안으로 검사하였을 때 분해의 증거가 관찰되지 않아야 한다.

6) 방사선 불투과성

시험 시편의 광학밀도 수치가 3 mm aluminum step보다 작으면 방사선 불투과성이 있는 것으로 간주한다.

표 9-7. **근관충전용 재료의 요구사항**

유동성 (mm)	경화시간 (min)	피막두께 (μm)	용해도 (중량비)
17 이상	제조자가 제시한 값보다 10% 이상 길지 않아야 함	50 이하	3.0 미만

Ⅲ 실습내용

1. 수경성 시멘트의 혼합

1) 실습기구 및 재료
인산아연 시멘트, 폴리카르복실레이트 시멘트, 글라스아이오노머 시멘트, 유리혼합판, 스테인레스강제 스파튤라, 비흡수성 혼합지, 플라스틱 스파튤라, 스프레이어(100% 알코올), 초시계 등.

(1) 인산아연시멘트의 혼합
① 유리혼합판을 실온보다 약 6℃ 낮게 냉각시켜서 준비한다.
② 분말을 덜어내기 전 유리혼합판에 100% 알코올을 뿌리고서 티슈로 닦아서 수분을 제거한다.
③ 분말 1 scoop을 유리혼합판의 좌측 상단에 덜어낸 다음 ADAS에 따라 6분할한다(그림 9-3). 유리혼합판의 중앙부에 액 용기를 수직으로 세우고 제조자의 지시에 따라서 액 3방울을 떨어뜨린 다음 금속 스파튤라로 혼합한다. 분말의 양과 혼합시간은 다음과 같다.

$$\frac{1}{16}\,(10초)\ +\ \frac{1}{16}\,(10초)\ +\ \frac{1}{8}\,(10초)\ +\ \frac{1}{4}\,(15초)\ +\ \frac{1}{4}\,(15초)\ +\ \frac{1}{4}\,(30초)$$

참조 ① 인산아연 시멘트의 경화반응이 발열반응이므로 반응열을 효과적으로 분산시키기 위해서 냉각한 유리혼합판을 넓게 사용하여 혼합한다(그림 9-4). 제조자가 추천하는 분말과 액의 혼합 비율이 본 실습서에서 제시한 것과 다를 때는 제조자의 지시에 따른다.
② 경화반응의 지연을 위해서 냉각한 유리혼합판이 사용되지만 냉각하는 온도가 이슬점 이하(상대습도 70%에서 약 6℃ 이하)가 되면 유리혼합판에 수분이 응축되므로 경화가 촉진될 수 있다. 유리혼합판의 적절한 온도로서 18-24℃ 범위가 추천되고 있다.
③ 스파튤라의 면을 넓게 사용하여 혼합하지만 페인트를 칠하듯이 표면만을 문지르면서 혼합하지 않도록 주의한다.
④ 혼합하는 과정에서 새로운 액을 추가하면 점도의 차이로 인해서 얼룩이 생기거나 초기에 생성된 결정들이 파괴되므로 시멘트의 성능이 저하될 수 있다.

ADAS 연화법

분말의 분할비율	연화시간(초)	연화순서
1/16	10	
1/16	10	
1/8	10	
1/4	15	
1/4	15	
1/4	30	
계	90	↓

시멘트의 연화법(ADAS-6분할)

분말   액

그림 9-3. ADAS의 6분할법에 의한 인산아연 시멘트의 혼합.

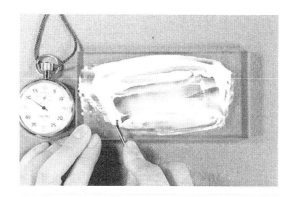

그림 9-4.

2) 폴리카르복실레이트 시멘트의 혼합

① 분말 1 scoop을 혼합지의 좌측 상단에 덜어낸 다음 2등분한다.

② 액 용기를 수직으로 세워서 혼합지의 중앙부에 3방울을 떨어뜨린 다음 플라스틱 스파튤라를 사용하여 신속하게 혼합한다. 분말의 양과 혼합시간은 다음과 같다.

$$\frac{1}{2} \, (20초) \;+\; \frac{1}{2} \, (20초)$$

3) 글라스 아이오노머 시멘트의 혼합

① 분말 1 scoop을 혼합지의 좌측상단에 덜어내서 2등분한다.

② 액 용기를 수직으로 세워서 혼합지의 중앙부에 2방울을 떨어뜨린 다음 플라스틱 스파튤라로 신속하게 혼합한다. 분말의 양과 혼합시간은 다음과 같다.

$$\frac{1}{2} \, (10초) \;+\; \frac{1}{2} \, (10초)$$

> **주의** 폴리카르복실레이트 시멘트와 글라스아이오노머 시멘트는 금속에 대한 접착성이 있으므로 플라스틱제 스파튤라를 사용하여 혼합한다. 분말과 액의 혼합은 제조자가 추천하는 조건에 따른다.

2. 피막두께 시험

1) 실습기구 및 재료

인산아연 시멘트, 폴리카르복실레이트 시멘트, 글라스아이오노머 시멘트, 레진 시멘트, 40×40×5 mm 유리판 8장, 150±2 N의 수직하중을 가할 수 있는 정하중장치, 제조사가 추천한 광중합기, 마이크로미터 등.

2) 시험 절차

(1) 수경성 시멘트의 피막두께 시험 절차

① 유리판 2장을 겹친 상태에서 마이크로미터로 두께를 측정한다(측정값 A, 그림 9-5).

② 제조자의 지시에 따라서 혼합한 시멘트 0.1 ml를 하부 유리판의 중앙부에 올린 다음 제조회사가 제시한 작업시간의 10초 전에 상부유리판을 겹치고서 150±2 N의 정하중을 수직으로 가한다(그림 9-6).

③ 하중을 가하고서 10분이 경과한 후 마이크로미터로 최종 두께를 측정한다(측정값 B, 그림 9-7).

④ 피막두께를 (측정값 B − 측정값 A)로부터 계산한다.

(2) 등급 1 레진 시멘트의 피막두께 시험 절차

① 유리판 2장을 겹친 상태에서 마이크로미터로 두께를 측정한다(측정값 A).

② 제조자의 지시에 따라서 혼합한 시멘트 0.1 ml를 하부 유리판의 중앙부에 올린 다음 상부유리판을 겹치고서 정하중장치의 시험부 중앙에 오도록 위치시킨다.

③ 혼합 60±2초 후 150±2 N의 하중을 180±10초 동안 수직으로 가한다.

④ 혼합개시로부터 10분이 경과한 후 마이크로미터로 최종 두께를 측정한다(측정값 B).

⑤ 피막두께를 (측정값 B − 측정값 A)로부터 계산한다.

(3) 등급 2와 등급 3 재료의 피막두께 측정

① 유리판 2장을 겹친 상태에서 마이크로미터로 두께를 측정한다(측정값 A).

② 등급 2 재료는 계량을 하고, 등급 3 재료는 혼합한 직후 하부 유리판의 중앙부에 오도록 올리고 상부 유리판을 두께 측정 시와 동일하게 겹치고서 정하중장치의 시험부 중앙에 위치시킨다. 이어서 시료의 중심부에 150±2 N의 하중을 180±10초 동안 수직으로 가한다.

③ 하중을 가한 직후 제조자가 추천하는 광조사 시간의 두 배의 기간 동안 위쪽 유리판의 중앙부를 통해서 시료에 광을 조사한다. 이 때의 광조사는 시료를 완전하게 경화시키기 위한 것이 아니고 측정이 용이하도록 안정화시키기 위한 것이다.

④ 정하중장치로부터 합착된 유리판들을 분리하여 두께를 측정한다(측정값 B).

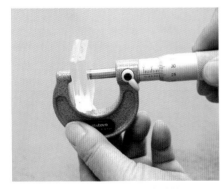

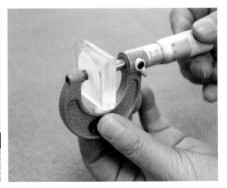

| 그림 9-5. | 그림 9-6. | 그림 9-7. |

⑤ 피막두께를 (측정값 B − 측정값 A)로부터 계산한다.

3) 시험결과의 평가 및 비교

① 각 시험재료의 피막두께가 요구사항을 만족하는지 조사해보자.
② 시험조건의 변화가 피막두께에 미치는 영향을 조사해보자.

3. 수경성 시멘트의 순 경화시간 시험

1) 실습기구 및 재료

인산아연 시멘트, 폴리카르복실레이트 시멘트, 글라스아이오노머 시멘트, 8×10×5 mm 공간이 형성된 금속제 금형(그림 9-8), 무게가 400±5 g이고 직경이 1±0.1 mm인 비카트 침 장치, 알루미늄 호일, 37±1℃에서 유지되는 항온기 등.

2) 시험절차

① 23±1℃에서 금형을 알루미늄 호일에 올리고 시멘트 혼합물을 채운다. 혼합이 끝난 60초 후 시멘트 혼합물을 포함하는 블록을 37±1℃ 항온기에 넣어둔다.
② 혼합이 끝난 90초 후 압흔침을 정적으로 내리고 5초 동안 유지한다(그림 9-9).
③ 30초 간격으로 측정을 반복한다.
④ 혼합이 끝난 시점으로부터 침이 시멘트 내부로 침투되지 못하여 완전한 원형 압흔이 형성되지 않을 때까지 경과한 시간을 측정하여 순 경화시간으로 한다.

3) 시험결과의 평가 및 비교

시험결과가 표 9-3의 순 경화시간에 대한 요구사항을 만족하는지 조사해보자.

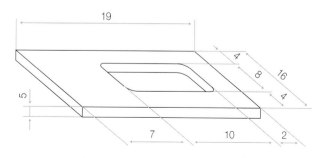

그림 9-8. 순 경화시간 시험용 금형의 도면

그림 9-9.

4. 시멘트의 압축강도 시험

1) 실습기구 및 재료

인산아연 시멘트, 폴리카르복실레이트 시멘트, 글라스 아이오노머 시멘트, 화학중합형과 광중합형의 레진 시멘트, 직경 (4±0.1) mm × 높이 (6±0.1) mm 분할형 금형, 금속제 평판 또는 40×40×5 mm 유리판 8장, 폴리에스테르 필름, 나사형 클램프(그림 9-10), 37±1℃에서 유지되는 항온기, 재료시험기 등.

2) 시편의 준비 절차

(1) 수경성 시멘트의 시편 준비 절차

① 분할형 금형과 금속제 평판에 실리콘 분리제를 얇게 도포한 다음 분할형 금형을 폴리에스테르 필름을 깐 금속제 평판 위에 올려놓는다.

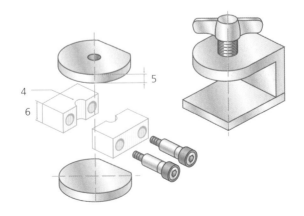

그림 9-10. **압축강도 시험용 시편제작 금형, 금속제 평판 및 나사형 클램프의 모식도.**

② 시멘트의 혼합 후 60초 이내에 분할형 금형에 살짝 넘치도록 채우고 폴리에스테르 필름을 개재한 상태에서 유리판으로 압착하여 과잉의 재료를 짜낸 다음 클램프로 고정한다.

③ 혼합 후 120초가 경과하기 전에 조립된 상태에서 37±1℃에서 유지되는 수조로 옮겨서 보관한다.

④ 24시간 경과 후 상하부의 평판을 제거하고 #400 SiC 연마지로 물을 뿌리면서 양끝을 연마하여 장축에 직각이 되도록 조절한다.

(2) 등급 1 레진 시멘트의 시편 준비 절차

① 분할형 금형에 실리콘 분리제를 얇게 도포하고서 폴리에스테르 필름을 깐 유리판 또는 금속제 평판 위에 올려놓는다.

② 제조자의 지시에 따라서 혼합한 시멘트를 분할형 금형에 살짝 넘치도록 채우고 폴리에스테르 필름을 개재한 상태에서 유리판으로 압착하여 과잉의 재료를 짜낸 다음 클램프로 고정한다.

③ 제조자가 제시한 경화시간의 경과 후 조립된 상태에서 37±1℃에서 유지되는 수조로 옮겨서 보관한다.

④ 24시간 경과 후 상하부의 평판을 제거하고 #400 SiC 연마지로 물을 뿌리면서 양끝을 연마하여 장축에 직각이 되도록 조절한다.

(3) 등급 2와 등급 3 재료의 시편 준비 절차

① 분할형 금형에 실리콘 분리제를 얇게 도포하고서 폴리에스테르 필름을 깐 유리판 또는 금속제 평판 위에 올려놓는다.

② 등급 2 재료는 짜내어서 그리고 등급 3 재료는 혼합한 직후 분할형 금형에 살짝 넘치도록 채우고 폴리에스테르 필름을 개재한 상태에서 유리판으로 압착하여 과잉의 재료를 짜내고서 제조자가 추천한 시간 동안 광을 조사한다. 이후 37±1℃에서 유지되는 항온기로 옮겨서 24시간 동안 보관한다.

③ 24시간 경과 후 #400 SiC 연마지로 물을 뿌리면서 양끝을 연마하여 장축에 직각이 되도록 조절한다.

3) 시험절차

① 준비한 시편을 재료시험기에 장착하고 crosshead 속도 0.5 mm/min으로 압축력을 가하여 파절하중을 측정한다.

② 압축강도는 파절하중을 시편의 단면적으로 나누어서 MPa 단위로 계산한다.

4) 시험결과의 평가 및 비교

① 측정한 수경성 시멘트의 압축강도를 표 9-3의 24시간 후 압축강도와 비교해보자.

② 시험한 재료들의 압축강도를 비교해보자.

참조 ① 분할형 금형과 금속제 평판은 시멘트에 의해서 영향을 받지 않는 재료로 제작이 되어야 하고, 폴리아크릴산계 시멘트는 부착 방지를 위해서 평판에 celluloid strip을 개재한 상태에서 시편을 제작한다.

② 압축시험 시는 작용한 하중이 시편의 단면 전체에 걸쳐서 작용하도록 보조지그를 사용한다.

시멘트 구입 시 검토사항

상 품 명: 검 토 의 뢰 일:

제 조 회 사: 검 토 결 과:

유   형: 검 토 자:

1. 요구사항

(1) 재료 공급 형태 및 경화여부   예 _____ 아니오 _____

(2) 액은 투명하며 용기 내부에 침전물 등이 없는가?   예 _____ 아니오 _____

(3) 분말은 이물질이 없으며 색소분포가 균일한가?   예 _____ 아니오 _____

(4) 혼합 시 덩어리나 과립 또는 가스가 생기지 않는가?   예 _____ 아니오 _____

(5) 경화된 시멘트의 색 _____

2. 사용설명서

(1) 분말/액 혼합비 _____

(2) 혼합판과 스파튤라의 조건 및 형태   분말 _____ 액 _____

(3) 분말 첨가 속도 _____

(4) 혼합시간, 작업시간 및 경화시간 _____

(5) 필요한 경우, 추천하는 이장재 _____

(6) 마무리 방법 및 필요한 경우 코팅제의 종류 _____

3. 출하상태

1) 포장

(1) 성분을 보호할 수 있는 용기나 캡슐로 공급   예 _____ 아니오 _____

(2) 제품의 질에 악영향을 주지 않는 용기   예 _____ 아니오 _____

2) 표시

(1) 제조자의 이름, 제품명, 종류 및 용도 _____

(2) 분말의 색조 _____

(3) 무게 및 부피 분말   분말 _____ 액 _____

(4) 제조번호 _____

(5) 보관조건 및 유효기간 _____

Chapter
10

의치상용 레진

 실 습 목 적

- 의치상의 제작에 사용하는 레진의 종류에 대하여 공부한다.
- 의치상용 레진의 성질을 이해하고 그의 조작방법을 습득한다.

 기초지식

의치상의 제작을 위해서 부가중합형 아크릴 레진이 널리 사용되고 있지만, 이외에도 축합중합형의 폴리카보네이트, 폴리설폰, 폴리아마이드 등도 함께 사용되고 있다. 부가중합형 아크릴 레진에서는 레진의 중합에 필요한 자유 라디칼의 생성을 위해서 가열, 화학반응, 광조사 등이 적용되고 있다.

1. 열중합형 의치상용 레진

1) 조성

분말의 주성분은 polymethyl methacrylate (PMMA)이고 중합반응의 개시제로서 과산화벤조일, 가소제로서 dibutyl phthalate 또는 triphenyl phosphate 그리고 착색제로서 무기색소와 유기염료 등이 첨가된다. PMMA는 MMA의 중합체로서 무색투명하고, 비등점 125℃, 비중 1.19, 인장강도 50−60 MPa이다. 폴리에틸렌(polyethylene) 섬유나 폴리아마이드(polyaromatic polyamide) 섬유도 의치상의 강화를 위해서 사용된다.

액의 주성분은 methyl methacrylate (MMA, 그림 10-1)이지만 다른 모노머를 첨가하여 변형시킬 수도 있다. MMA는 비등점 100.3℃, 융점 −48℃의 무색투명한 액체로서, 20℃에서 비중은 0.945이다. 보관 중에 빛이나 열에 의해서 중합반응이 진행될 수 있으므로 중합억제제로서 소량의 hydroquinone이 첨가되고, 또한 미세 표면 균열의 생성을 억제하고 내용매성을 갖도록 하기 위해서 ethylene glycol dimethacrylate와 같은 가교제가 첨가된다.

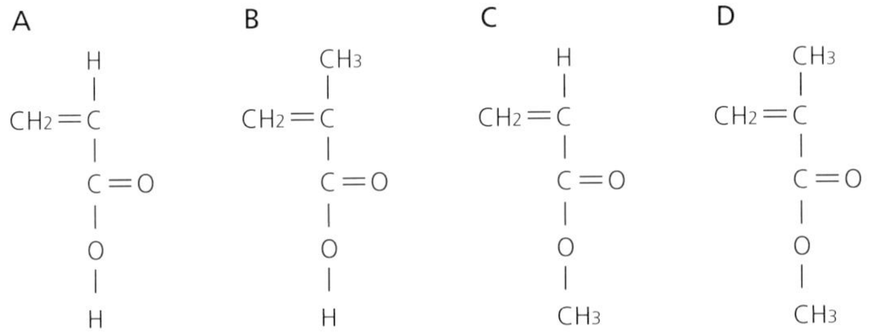

그림 10-1. **아크릴계 레진의 분자구조.** A. acrylic acid; B. methacrylic acid; C. methacrylate; D. methyl methacrylate.

2) 분말과 액의 혼합 시 나타나는 변화

(1) Sandy or grannular stage
모노머가 폴리머 분말 입자들을 적신 상태로, 약간의 흐름성은 있지만 점착성은 없는 상태이다.

(2) Stringy stage
분말 입자들의 외층이 용해되어 점착성을 띠는 상태로, 손가락이나 기구 등과 접촉하면 실이 생성된다.

(3) Dough stage (병상기)
폴리머 입자들이 가소성을 가져서 떡반죽과 같이 결합이 되는 상태로, 끈적거리지 않으므로 이 단계에서 석고 주형(flask mold)에 전입한다.

(4) Lathery stage
모노머가 폴리머 분말의 내부로 깊숙이 확산되어서 가소성을 보이지 않는 상태이다.

분말과 액을 혼합한 후 병상기에 도달하는 시간은 폴리머 입자들의 용해속도에 의존한다. 병상기에 도달하는 시간을 짧게 하기 위해서는 온도를 높이거나, 폴리머의 입도를 감소시키거나, 낮은 분자량의 폴리머 분말을 사용하거나, 액의 양을 감소시키거나, 가소제를 첨가하거나 하는 방법 등이 이용될 수 있다.

3) 중합사이클

의치상에 기포가 생성되지 않도록 하기 위해서 다음의 방법들이 권장되고 있다.

(1) Long, low temperature processing method

의치상 레진의 중합반응이 발열반응이므로 의치상의 두꺼운 부분에서 반응열에 의한 모노머의 비등을 억제하기 위해서 레진을 포함하는 플라스크를 74℃ 수조에서 8시간 정도 유지한다. 이 단계에서 의치상의 얇은 부분에서는 열이 석고 주형으로 분산되어서 중합이 불충분할 수 있다. 따라서 얇은 부분의 완전한 중합을 위해서 100℃로 온도를 올려서 1시간 정도 유지한다.

(2) Short processing method

의치상 레진을 단기간 동안에 중합하기 위해서 레진을 포함하는 플라스크를 74℃ 물속에서 2시간 동안 유지하고 이어서 100℃에서 1시간 정도 유지한다.

4) 중합수축률

MMA가 PMMA로 전환되는 과정에서 일어나는 중합수축률을 표 10-1을 참조하여 계산해 보면, 식 10-1에서 볼 수 있는 것과 같이 체적수축은 21%가 된다.

식 10-1

$$중합수축률(vol\%) = \frac{나중용적 - 처음용적}{처음용적}$$

$$= \frac{(1.06-0.84)}{1.06} \times 100 = 21\%$$

의치상을 제작하는 과정에서 중합수축을 감소시키기 위해 일반적으로 분말과 액을 용적비 2:1로 혼합하여 중합하는 방법이 이용되고 있다. 모노머가 차지하는 비율이 전체 용적의 1/3이므로 체적수축률은 7% 그리고 선상수축률은 2.3%가 된다. 하지만 무치악을 고려한 악모형에서 측정한 열중합형 의치상용 레진의 선상수축은 0.2~0.5%로, 이는 이론적으로 계산한 선상수축 2.3%와는 큰 차이가 있다. 이러한 이유는 의치상 레진의 중합온도(100℃)가 글라스전이온도에 근접하기 때문에 레진을 중합하는 과정에서 일어난 응력완화가 그 원인이라고 언급하고 있다.

표 10-1. **MMA와 PMMA의 밀도와 용적**

물성	MMA	PMMA
밀도(g/cm³)	0.94	1.19
1 g의 용적(m/ρ)	1.06	0.84

5) 수분흡수

의치상 레진은 carboxyl 기의 극성으로 인해서 hydronium ion (H_3O^+)과 반응하므로 완성한 의치를 물속에 보관하면 분자사슬 내부로 물분자가 침투 확산되어서 팽창이 일어난다(그림 10-2). 의치상 레진의 흡수로 인한 팽창은 0.2-0.5%로, 이것은 무치악을 고려한 악모형에서 의치를 제작할 때 발생하는 선상수축과 거의 같은 정도이다. 따라서 완성한 의치를 수중에 보관하는 경우 중합수축의 보상이 가능하다는 의견도 있다. 의치를 장착하고 있는 동안에는 흡수로 인해서 팽창이 일어나지만 의치를 사용하지 않는 동안에 빼서 방치하면 건조로 인한 수축이 일어나게 된다. 이러한 과정이 반복되면 의치상에 미세한 균열이 생성되어서 파절이 일어나는 원인이 될 수 있으므로, 의치를 빼서 놓아둘 때는 수중에 보관하는 것이 바람직하다.

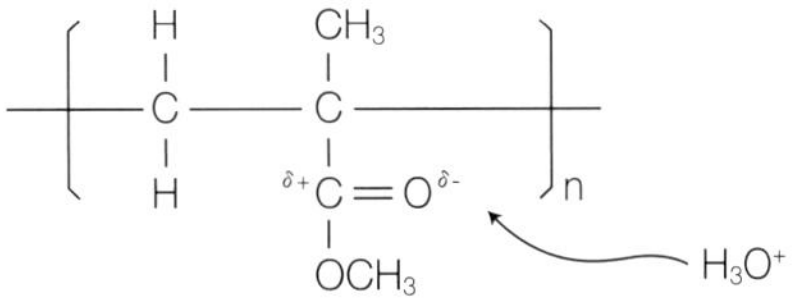

그림 10-2. **carboxyl 기의 극성에서 기인한 의치상 레진의 수분 흡수.**

2. 자가중합형 레진

1) 분말/액 형

열중합형 레진에서는 가열 중에 일어나는 반응개시제의 분해로 인하여 자유 라디칼이 생성되어 중합반응이 일어나지만, 자가중합형 레진에서는 과산화벤조일과 3차 아민의 화학반응으로 자유 라디칼이 생성됨에 따라서 중합반응이 일어난다.

2) 유입형 레진

분말과 액으로 이루어진 자가중합형 레진과 유사하지만 분말과 액을 혼합했을 때 흐름성을 더 좋게 하기 위해서 분말의 입도를 더욱 작게 감소하고 있다.

3. 광중합형 레진

420−480 nm 범위의 가시광선을 조사했을 때 레진의 중합반응이 일어나도록 하기 위해서 캄파퀴논(cam-phorquinone)과 지방족 3차 아민이 첨가된다. 모형상에서 의치상을 성형한 후 광조사에 의해서 중합이 완료되므로 절차가 간편하고 중합에 짧은 시간이 소요된다.

4. 마이크로파 중합형 레진

마이크로파 에너지를 이용하여 레진을 중합하는 것으로, 이 경우에는 비금속제 플라스크가 필요하다. 레진의 전입 후 전자레인지를 이용하여 중합에 필요한 열에너지를 공급한다.

Ⅱ 의치상용 레진의 분류 및 요구사항

ISO 20795-1에서는 의치상용 레진의 종류 및 요구사항에 대하여 규정하고 있다.

1. 분류

1) 유형 1 : 열중합형 레진
등급 1 : 분말과 액형
등급 2 : 플라스틱 케이크형

2) 유형 2 : 자가중합형 레진
등급 1 : 분말과 액형
등급 2 : 분말과 액의 유입형

3) 유형 3 : 열가소성 블록 또는 분말
4) 유형 4 : 광중합형 재료
5) 유형 5 : 마이크로파 중합형 재료

2. 요구사항(표 10-2 참조)

1) 굴곡강도
37±1℃에서 시험할 때, 굴곡강도는 유형 1, 유형 3, 유형 4, 유형 5의 중합체는 65 MPa 이상이고, 유형 2의 중합체는 60 MPa 이상이어야 한다.

2) 굴곡 탄성계수
37±1℃에서 측정한 굴곡 탄성계수는 유형 1, 유형 3, 유형 4, 유형 5의 중합체는 적어도 2,000 MPa 이상이고, 유형 2의 중합체는 1,500 MPa 이상이어야 한다.

3) 흡수율
흡수로 인한 체적의 증가는 유형 1, 유형 2, 유형 3, 유형 4 및 유형 5의 중합체에서 32 μg/mm^{3}을 초과하지 않아야 한다.

4) 용해도

단위부피(가용성 물질) 당의 무게감소는 유형 1, 유형 3, 유형 4, 유형 5의 중합체에서는 1.6 µg/mm^{3}을 초과하지 않아야 하고, 유형 2의 중합체에서는 8.0 µg/mm^{3}을 초과하지 않아야 한다.

표 10-2. **의치상용 레진의 성질에 대한 요구사항**

요구사항	최소 굴곡강도 (MPa)	최소 굴곡탄성계수 (MPa)	최대 잔류모노머량 (% 중량분률)	최대 흡수도 (µg/mm³)	최대 용해도 (µg/mm³)
유형 1, 3, 4, 5	65	2,000	2.2	32	1.6
유형 2	60	1,500	4.5	32	8.0

Ⅲ 실습내용

1. 병상화 시간의 시험

1) 실습기구 및 재료

열중합형 의치상용 레진, 레진 혼합기(mixing jar, 그림 10-3), 눈금이 표시된 스포이드(5 ml 용), 전자저울 등.

그림 10-3.

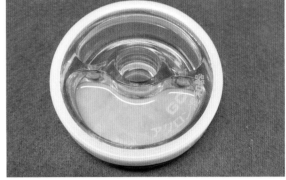

그림 10-4.

2) 시험절차

① 열중합형 레진의 분말 4 g과 액 2 ml를 계량한다.

② 액에 분말을 부어넣고 젖게 한 다음 경과시간에 따른 변화를 관찰한다(그림 10-4). 관찰을 진행하는 동안에 분말을 추가하거나 혼합하거나 하지 않는다.

③ 혼합기의 뚜껑은 덮은 상태로 유지하고 2분 간격으로 혼합물의 상태를 관찰한다.

④ 병상화에 도달하는 시간 및 그 상태가 유지되는 시간을 기록한다.

⑤ 실온보다 10℃ 높거나 또는 낮은 온도의 조건에서 상기의 시험을 반복한다.

3) 시험결과의 평가 및 비교

① 온도의 변화가 병상화 시간에 미치는 영향에 대하여 조사해보자.

② 가소제로서 dibutyl phthalate 5% 첨가가 병상화 시간에 미치는 영향에 대하여 조사해보자.

2. 중합과정에서의 온도변화 및 기포발생의 관찰

1) 실습기구 및 재료

열중합형 의치상용 레진, 레진 혼합기, 눈금이 표시된 스포이드(5 ml 용), 파라핀 왁스, 전자저울, 보통석고, 경석고, 러버볼과 스파튤라, 레진 온성용 플라스크(curing flask), polyethylene sheet, 플라스틱 스파튤라, 온도계, 열전대(thermocouple), 유압식 프레스, 실리콘 그리스, 알코올 램프, 항온수조, 눈금종이, 커터칼 등(그림 10-5).

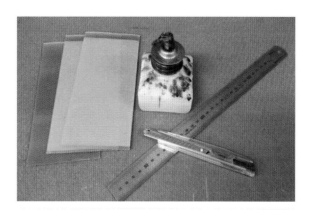

그림 10-5.

2) 시험절차

① 그림 10-6에 표시한 형상의 왁스 패턴을 제작하기 위해서 파라핀 왁스를 가로 35 mm × 세로 20 mm 크기로 자르고 대각선 방향으로 다시 한 번 자르고 여러 장을 겹쳐서 높이 약 25 mm의 왁스 패턴을 준비한다(그림 10-7).

② 플라스크에 석고가 달라붙는 것을 방지하기 위해 실리콘 그리스를 얇게 도포한다.

③ 보통석고를 혼합한 다음 하부 플라스크에 채우고 왁스 패턴의 절반 정도가 묻히도록 매몰한다. 이때 열전대가 들어갈 홈(groove)도 함께 형성한다(그림 10-8).

④ 석고의 경화 후 표면에 실리콘 그리스를 얇게 바른 다음 상부 플라스크를 맞추어서 올려놓는다. 상부 플라스크에 석고를 채우고 cap을 덮고 손으로 압력을 가하여 여분의 석고가 흘러나오게 한다.

⑤ 석고의 경화 후 플라스크를 70℃ 온탕에 5분 정도 넣어서 왁스를 연화시킨다. 이후 플라스크의 상하부를 분리하고 연화된 왁스를 제거한 다음 steam cleaner로 석고 주형의 표면을 깨끗하게 한다(그림 10-9).

⑥ 석고주형에 온기가 있을 때 레진과 접촉할 부위의 주형 표면에 레진 분리제를 도포한다.

⑦ 병상기 레진을 상부와 하부 플라스크의 공간에 약간 넘치도록 채우고 polyethylene sheet를 사이에 끼운 상태에서 hand press로 압력을 가한다(그림 10-10). 상하부 플라스크를 분리하고 주변으로 흘러나온 여분의 레진을 플라스틱 스파튤라로 잘라서 제거한다.

⑧ 하부 플라스크에 열전대를 삽입하고 상부 플라스크를 맞추어서 압력을 가하여 결합한 후 플라스크 고정대

에 고정한다(그림 10-11).

⑨ 100℃로 가열한 수조(그림 10-12)에 플라스크를 집어넣고 경과시간에 따른 온도의 변화를 기록한다. 온도가 느리게 변하는 구간에서는 측정 간격을 길게 하고 온도가 급격하게 변하는 구간에서는 측정 간격을 짧게 한다. 온도가 최고 온도에 도달한 이후 하강하는 시점에 측정을 중단한다.

⑩ 시험 결과를 경과시간-온도의 관계로 눈금종이에 표시한다. 그림 10-13은 레진을 온성하는 과정에서 경과시간-온도의 관계를 도시한 일례이다.

⑪ 레진의 온성 후 100℃ 수조에서 플라스크를 꺼내어서 실온에 10분 동안 방치한다. 이후 플라스크를 냉수조에 넣어서 냉각한 다음 분리하여 레진 경화체를 꺼낸다. 경화체 시편의 중심부를 지나도록 2등분 하여 절단하고 #2,000 SiC 연마지 단계까지 연마한 다음 광학현미경으로 기포의 유무를 조사한다. 그림 10-14는 100℃ 수중에서 30분 동안 가열한 다음 시편의 중심부를 지나도록 절단하고 광학현미경으로 관찰한 사진으로, 시편의 두꺼운 부위에서 기포가 관찰되었다.

참조 Polyethylene sheet에 오물이 달라붙으면 레진의 결합부가 오염될 수 있으므로 주의한다.

3) 시험결과의 평가 및 비교

레진을 전입한 플라스크를 100℃ 수조에서 온성한 후 레진의 두께가 온도의 상승과 기포의 발생에 미치는 영향에 대하여 조사해보자.

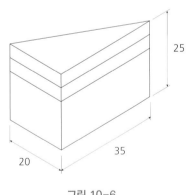

그림 10-6.

그림 10-7.

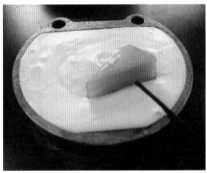

그림 10-8.

그림 10-9.

그림 10-10.

그림 10-11.

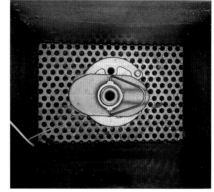

그림 10-12.

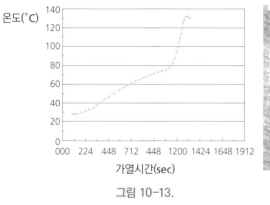

그림 10-13.

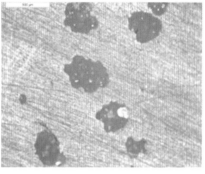

그림 10-14.

3. 중합과정에서의 크기변화 측정

1) 실습기구 및 재료

공업용 실리콘, 열중합형 의치상용 레진, 레진 혼합기, 눈금이 표시된 스포이드(5 ml 용), 파라핀 왁스, 전자저울, 보통석고, 초경석고, 러버볼과 스파튤라, 레진 온성용 플라스크, polyethylene sheet, 플라스틱 스파튤라, 온도계, 유압식 프레스, 실리콘 그리스, 알코올 램프, 항온수조, 내수성 용지, 아세테이트 접착테이프, 커터칼 등.

2) 시험절차

① 시험을 시작하기 전 단계에 그림 10-15에 표시한 의치모형의 금형(그림 10-16)을 공업용 실리콘으로 복제하여 몰드를 준비한다(그림 10-17).

② 초경석고를 제조자의 지시에 따라 혼합하고 실리콘 몰드에 부어서 석고원형을 준비한 다음 표면에 실리콘 그리스를 얇게 도포한다.

③ 파라핀 왁스 2장을 폭 30 mm × 길이 100 mm로 절단하고 50℃ 항온수조에서 연화한 다음 석고원형에 압접한다. 왁스의 돌출한 부분은 알코올 램프로 가열한 커터칼로 잘라서 제거한다(그림 10-18).

④ 폭 30 mm × 길이 170 mm 내수성 용지로 초경석고 원형의 주위를 감싸서 종이 박스를 만든다(그림 10-19).

⑤ 보통석고를 혼합해서 종이 박스에 붓고 경화 후 종이박스를 뜯어내고 조심스럽게 초경석고 원형을 분리한다(그림 10-20). 종이 박스가 느슨하면 보통석고가 아래로 흘러들어가므로 초경석고 원형을 분리하는 과정에서 왁스상이 분리될 수 있으므로 주의가 필요하다.

⑥ 플라스크가 석고에 달라붙는 것을 방지하기 위해 실리콘 그리스를 얇게 도포한다.

⑦ 하부 플라스크에 보통석고를 혼합하여 채운 다음 왁스상 모형의 변연부까지 매몰한다(그림 10-21).

⑧ 하부 플라스크 내 보통석고가 경화되면 표면에 실리콘 그리스를 얇게 바르고 상부 플라스크를 맞추어서 올려놓는다. 상부 플라스크에 석고를 붓고 cap을 덮은 다음 손으로 압력을 가하여 여분의 석고가 흘러나오게 한다.

⑨ 석고의 경화 후 플라스크를 70℃ 온탕에 5분 정도 넣어서 왁스를 연화시킨다. 이후 플라스크의 상하부를 분리하고 연화된 왁스를 제거한 다음 steam cleaner (그림 10-22)로 석고 주형의 표면을 깨끗하게 한다(그림 10-23).

⑩ 석고 주형에 온기가 있을 때 레진과 접촉할 부위의 표면에 레진 분리제를 도포한다.

⑪ 병상기 레진을 상부와 하부 플라스크의 공간에 약간 넘치도록 채우고 polyethylene sheet를 사이에 끼운 상태에서 hand press로 압력을 가한다. 상하부 플라스크를 분리한 다음 석고주형의 주변으로 흘러나온 여분의 레진을 플라스틱 스파튤라로 잘라서 제거한다.

⑫ 상하부 플라스크를 맞추어서 압력을 가하여 결합한 후 플라스크 고정대에 고정하고 100℃로 가열한 수조에서 30분 동안 온성한다.

⑬ 레진의 온성 후 플라스크를 꺼내어 실온에서 10분 동안 방치한다. 이후 플라스크를 냉수조에 넣어서 냉각하고 분리해서 레진 경화체를 꺼낸 다음 표면을 깨끗하게 마무리하고 초경석고 원형에 맞추어본다(그림 10-24).

⑭ 초경석고 원형과 레진 경화체의 사이에 저점도 실리콘 고무 인상재를 채워서 경화시키고 그림 10-25에 표시한 각 부위에서 그의 두께를 측정한다.

3) 시험결과의 평가 및 비교

초경석고 원형과 레진 경화체 사이의 분리 간격을 이용하여 중합수축의 정도를 평가해보자.

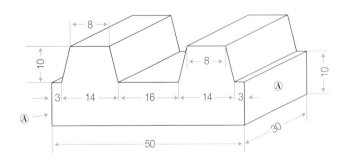

그림 10-15. **중합수축 측정용 시편 금형의 도면.**

그림 10-16.

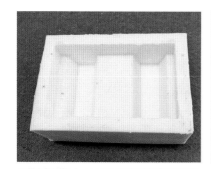

그림 10-17.

그림 10-18.

그림 10-19.

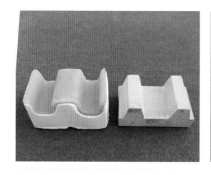

그림 10-20.

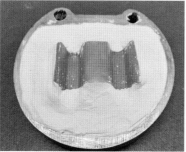

그림 10-21.

그림 10-22.

그림 10-23.

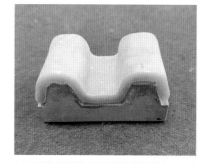

그림 10-24.

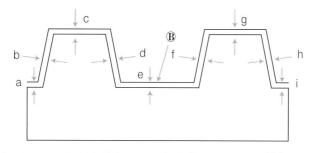

그림 10-25.

131

4. 3점 굴곡강도와 굴곡탄성계수의 측정

1) 실습기구 및 재료

길이 65 mm × 폭 40 mm × 두께 5 mm 시편제작용 금속판(그림 10-26), 열중합형 의치상용 레진, 레진 혼합기, 눈금이 표시된 스포이드(5 ml 용), 파라핀 왁스, 전자저울, 보통석고, 초경석고, 러버볼과 스파튤라, 레진 온성용 플라스크, polyethylene sheet, 플라스틱 스파튤라, 온도계, 항온수조, 유압식 프레스, 실리콘 그리스, 알코올 램프, 내수성 용지, 접착테이프, 커터칼 등.

2) 시험절차

① 길이 65 mm × 폭 40 mm × 두께 5 mm 시편제작용 금속판과 동일한 크기로 파라핀 왁스를 절단하고 겹쳐서 패턴을 준비한다(그림 10-27).

② 플라스크에 석고가 달라붙는 것을 방지하기 위해 실리콘 그리스를 얇게 도포한다.

③ 하부 플라스크에 보통석고를 혼합하여 채우고 왁스 패턴의 1/2 정도가 묻히도록 매몰한다(그림 10-28).

④ 하부 플라스크 내 보통석고가 경화되면 표면에 실리콘 그리스를 얇게 바르고 상부 플라스크를 맞추어서 올려놓는다. 이어서 상부 플라스크에 석고를 붓고 cap을 덮고 손으로 압력을 가하여 여분의 석고가 흘러나오게 한다.

⑤ 석고의 경화 후 플라스크를 70℃ 온탕에 5분 정도 넣어서 왁스를 연화시킨다. 이후 플라스크의 상하부를 분리하고 연화된 왁스를 제거한 후 steam cleaner로 석고 주형의 표면을 깨끗하게 한다(그림 10-29, 그림 10-30).

⑥ 석고 주형에 온기가 있을 때 레진과 접촉할 부위의 표면에 레진 분리제를 도포한다.

⑦ 병상기 레진을 상부와 하부 플라스크의 공간에 약간 넘치도록 채우고 polyethylene sheet를 사이에 끼운 상태에서 hand press로 압력을 가한다. 상하부 플라스크를 분리한 다음 석고주형의 주변으로 흘러나온 여분의 레진을 플라스틱 스파튤라로 잘라서 제거한다.

⑧ 상하부 플라스크를 맞추고 압력을 가하여 결합한 후 플라스크 고정대에 고정하고 100℃로 가열한 수조에서 30분 동안 온성한다.

⑨ 레진의 온성 후 플라스크를 꺼내어 실온에서 10분 동안 방치한다. 이후 플라스크를 냉수조에 넣어서 냉각하고 분리해서 레진 경화체를 꺼낸 후 표면을 깨끗하게 마무리한다(그림 10-31).

⑩ 레진 경화체의 표면을 #1,200 SiC 연마지 단계까지 순차적으로 연마한 다음 3등분으로 절단하여 길이 64 mm × 폭 10±0.2 mm × 두께 3.3±0.2 mm의 시편을 준비한다(그림 10-32).

⑪ 준비한 시편의 시효처리를 위해 37±1℃ 수중에 24±2시간 동안 침지하고서 crosshead speed 5±1 mm/min에서 3점 굴곡시험을 실시한다.

3) 3점 굴곡강도의 계산

① 시험 시편이 파절되는 경우에는 식 10-2를 적용하여 3점 굴곡강도 σ를 MPa 단위로 계산한다.

식 10-2

$$\sigma = \frac{3FL}{2bh^2}$$

여기에서, F는 측정된 파절하중 값, L은 지지점 사이의 거리, b와 h는 시험 직전에 측정한 시편 중심부의 폭과 두께이다.

② 시험 시편이 파절되지 않고 구부러진 경우에는 인장면 중심부의 0.2% 영구변형을 유발하는 처짐 $0.2\%\delta_p$를 식 10-3을 이용하여 계산한다. 하중-변위(F-δ) 선도로부터 $0.2\%\delta_p$에 해당하는 F_P값을 얻은 후 항복강도 σ_P를 식 10-4를 이용하여 MPa 단위로 계산한다.

식 10-3

$$0.2\% \, \delta_p = \frac{0.002L^2}{6h}$$

식 10-4

$$\sigma_p = \frac{3F_pL}{2bh^2}$$

여기에서, F_p는 각각의 처짐에 대응하는 하중, L은 지지점 사이의 거리, b와 h는 각각 시험 직전에 측정한 시편 중심부의 폭과 두께이다.

4) 굴곡탄성계수의 계산

① 3점 굴곡시험에서 중앙 하중점의 처짐은 $\delta = FL^3 / 48E_b I$ 이고 I= bh³ / 12 이므로 하중 F와 처짐 δ 사이에는 식 10-5의 관계가 성립한다.

식 10-5

$$F = \frac{4bh^2E_b}{L^3}\delta$$

② 3점 굴곡시험 후 F-δ 선도의 하중과 변위가 비례하는 구간에서 기울기 값 K를 얻고 이것을 식 10-5에 대입하면 식 10-6의 관계가 얻어진다.

식 10-6

$$K = \frac{4bh^3 \mathrm{E}_b}{L^3}$$

③ 식 10-6을 탄성계수 E_b에 대한 식으로 표시하면 식 10-7이 얻어진다.

식 10-7

$$\mathrm{E}_b = \frac{FL^3}{4bh^3}$$

5) 시험결과의 평가 및 비교

① 시험 결과가 표 10-2에 표시된 굴곡강도와 굴곡탄성계수의 요구조건을 만족하는지 비교해보자.

그림 10-26.

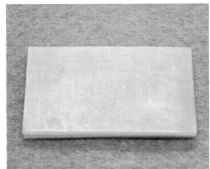

그림 10-27.

그림 10-28.

그림 10-29.

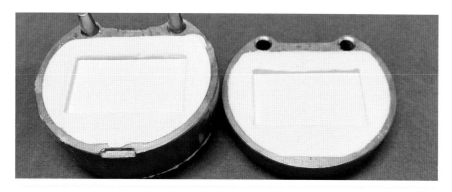

그림 10-30.

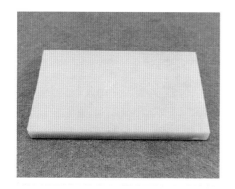

그림 10-31.

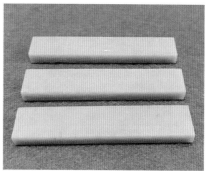

그림 10-32.

의치상용 레진 구입 시 검토사항

상 품 명: 검토의뢰일:

제 조 회 사: 검 토 결 과:

유   형: 검 토 자:

1. 일반사항

1) 액

  (1) 액이 투명한가?   예 _____ 아니오 _____

  (2) 부유물 또는 침전물 유무   예 _____ 아니오 _____

2) 분말(이물질 유무)   예 _____ 아니오 _____

3) 중합 후 특성

  (1) 경화 후 기포가 없으며 표면에 흠이 없는가?   예 _____ 아니오 _____

  (2) 연마 후 평활한 표면이 생기는가?   예 _____ 아니오 _____

  (3) 색

    clear resin: 투명한가?   예 _____ 아니오 _____

    colored resin: 색소가 균일 분포되어 있는가?   예 _____ 아니오 _____

2. 사용설명서

  (1) 보관조건   _____

  (2) 경고문(장시간 피부 접촉, 용액 흡입 시)   예 _____ 아니오 _____

  (3) 분말/액 혼합비   _____

  (4) Packing 시 재료의 준비 절차, 시간, 온도, 준비 재료   _____

  (5) 분리재   _____

  (6) 레진 인공치 접착을 위한 처리 내용   _____

  (7) Packing 시 flask 온도   _____

  (8) 중합 방법   _____

  (9) Flask 제거 후 냉각 및 보관 방법   _____

  (10) 최대잔류모노머 양 및 감소 방법   _____

3. 출하상태

1) 포장

  (1) 포장상태(밀봉여부 및 손상 방지 포장)   예 _____ 아니오 _____

2) 표시

  (1) 제품명 및 제조자 이름, 주소, 회사, 국가   _____

  (2) 제품의 형태, 종류, 색상 및 제조일과 유효기간   _____

  (3) 보관조건   _____

  (4) 무게, 부피 및 성분   _____

  (5) 인화성 및 인화점, 독성에 대한 경고문   _____

  (6) 제조번호   _____

  (7) 레진 인공치 접착을 위한 처리 내용   _____

Chapter

11

치과용 세라믹 재료

 실 습 목 적 ─────────────

· 치과용 세라믹 재료의 종류에 대하여 공부한다.
· 치과용 세라믹 재료의 성질을 이해하고 그의 조작방법을 습득한다.

I 기초지식

1. 치과용 세라믹 수복재료의 발달사

세라믹스(ceramics)라는 용어는 어원적으로는 고대 희랍어인 kearmos, 즉 흙을 구워서 만든 물질이라는 뜻에 그 어원을 두고 있으며, 도기와 자기를 통칭한 소결체를 의미하는 용어로 쓰이고 있다. 치과용 수복물의 제작을 위해서 처음으로 사용된 세라믹 재료는 포세린이다. 포세린은 1789년 프랑스 치과의사 De Chemant과 약사 Du Château가 인공치에 대한 특허를 출원하면서 도입이 되었다. 포세린은 우수한 심미성과 화학적 내구성, 높은 압축강도 등의 장점을 가지며, 이러한 장점에 근거하여 1887년 porcelain jacket crown의 제작에 사용되었지만, 쉽게 파절이 되는 문제점으로 인해 널리 보급되지 못하였다. 이후 포세린의 우수한 심미성과 금속의 높은 파절저항성의 장점을 하나로 결합한 시스템인 metal-ceramic 수복법이 도입되었지만 심미적인 수복의 측면에서 여러 가지 문제점들이 노출되었다. 근래 세라믹 재료의 제조와 가공 기술이 크게 진보하며 심미적인 측면에서 한계를 보인 metal-ceramic 대신 세라믹 재료만을 사용하여 수복물을 제작하는 all-ceramic 수복법이 도입되었다.

All-ceramic 재료의 발달단계를 살펴보면, 1990년대 초반 1세대 all-ceramic 재료로 분류되는 주조용과 주입 성형용 글라스-세라믹 재료가 도입되었고, 1990년대 후반에 접어들면서 1세대 all-ceramic 재료의 단점을 개선한 2세대 all-ceramic 재료로서 열가압성형용 글라스-세리믹과 글라스 침투 알루미나 세라믹이 도입되었다. 이후 2000년대에 접어들어서 CAD/CAM 기술이 수복물 제작에 도입되며 3세대 all-ceramic 재료로 분류되는 기계가공용 세라믹 블록이 도입되었고, 최근에는 4세대 all-ceramic 재료로 언급되는 3D 프린팅용 세라믹 재료의 도입이 진행되면서 치과용 세라믹 재료는 새로운 시대를 맞고 있다.

2. 치과용 포세린

치과용 포세린은 공통적으로 장석(feldspar), 석영(quartz) 및 점토질(kaolin)을 포함한다. 석영은 포세린의 소성온도 범위에서 거의 변화를 보이지 않으므로 골격과 같은 기능을 하며 성분 중에서 10-30%를 차지한다. 장석은 고온에서 다른 금속산화물들과 함께 녹아 글라스 상이 되어서 결정입자를 융합하는 역할을 하며 70-80%를 차지한다. 점토질은 포세린 분말에 가소성과 점결성을 부여하므로 성형성의 개선을 위해서 첨가하지만 소성된 포세린의 투명도를 저하시키므로 0-3%로 제한하고 있다.

치과용 포세린의 요구조건을 살펴보면, 심미적인 측면에서는 자연치 색의 재현을 위해서 투명도가 높은 장석의 증가가 요구되고, 내구성의 측면에서는 낮은 파절강도의 개선을 위해서 석영의 증가가 요구된다. 치과용 포세린은 전치부의 심미수복에 사용하는 재료이므로, 강도를 희생시키더라도 심미성을 증진하고자 하였으며, 따라서 성분 중에서 장석의 함량을 크게 증가시키고 있다(그림 11-1).

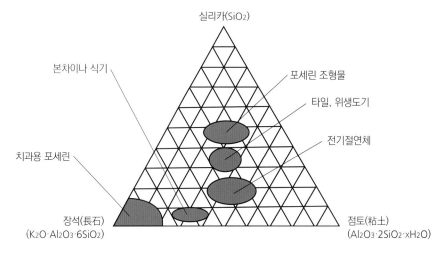

그림 11-1. **포세린의 조성.**

치과용 포세린의 소성온도는 조성에 글라스 개질제(glass modifier)를 첨가하거나 구성성분의 일부를 바꾸어 주는 것에 의해서 저하시키는 것이 가능하다. 치과용 포세린은 용융온도에 따라서 고온용융형(1,300℃ 이상), 중온용융형(1,100~1,300℃), 저온용융형(850~1,100℃), 초저온용융형(850℃ 이하)으로 분류하고 있다. 고온 용융형과 중온용융형은 융점이 높으므로 주로 인공치 제작에 사용하고, 저온용융형과 초저온용융형은 금속-세라믹(metal-ceramic) 수복물의 제작에 사용하고 있다.

3. 소결성 all-ceramic 재료

금속-세라믹 수복법이 심미적인 측면에서 한계를 보이면서 이를 대체하기 위해서 알루미나 함유 포세린, 루사이트(leucite) 함유 글라스-세라믹, 플루오로아파타이트(fluoroapatite) 함유 글라스-세라믹 등의 소결성 세라믹 재료가 도입되었다. 이들 소결성 세라믹 재료들은 심미성은 우수하지만 축성 후 소결하는 과정에서 발생하는 수축으로 인하여 수복물의 적합이 불량하고 또한 낮은 굴곡강도(100~150 MPa)로 인하여 쉽게 파절이 되는 등의 문제점으로 인해 임상적용에서 한계를 보였다.

4. 주조용과 주입성형용의 글라스-세라믹 재료

1990년대가 되면서 all-ceramic 재료의 선구적인 역할을 하였던 주조용(castable)과 주입성형용(injectable)의 글라스-세라믹 재료가 도입되었다. 이들 글라스-세라믹 재료는 글라스 상태에서 주형에 주입하여 성형한 다음 결정화 열처리(ceramming treatment)를 하여 강도를 증가시키고 있다. 주조용 글라스-세라믹 재료로서 치과임 상에 도입된 재료의 하나인 Dicor는 왁스소환법(lost-wax technique)으로 주형을 준비한 다음 글라스를 1,370℃ 로 가열 용융하여 원심주조하고 이후 1,075℃에서 6시간 동안 열처리하여 운모(mica) 결정을 약 55 vol% 석출 한다. Dicor는 인레이와 온레이 뿐만 아니라 크라운 제작에도 사용이 되며 치과임상에서 금속-세라믹 수복물을 대체하는 수단으로서 관심을 받았지만, 파절강도가 낮고, 결정화 과정에서 일어나는 수축으로 인하여 수복물의 적합이 불량하고, 또한 수복물의 제작에 너무 긴 시간이 소요되는 등의 문제점을 보였다.

5. 열가압성형용 글라스-세라믹 재료

주조용과 주입성형용 글라스-세라믹 재료에서 문제가 되었던 결정화 수축과 수복물 제작에 오랜 시간이 소요 되는 등의 문제점을 개선하기 위하여 글라스를 열처리하여 제조한 글라스-세라믹 잉곳(ingot)이 도입되었다. 글라스-세라믹 잉곳은 가열 연화하였을 때 점도가 높아서 주조에 의한 성형이 어려웠기 때문에 압력을 가하여 주입하는 열가압성형법(heat-pressing technique)이 적용되었다. 열가압성형법은 전통적인 적층소결법에 비해서 제조공정이 정확하고, 기공율이 낮고, 변연적합도가 우수하고, 강도의 신뢰도가 높은 등의 장점을 갖는 것으로 언급되고 있다. 열가압성형법을 적용하는 글라스-세라믹 재료로는 루사이트계(leucite), 아파타이트계(apatite) 및 리튬 디실리케이트계(lithium disilicate)의 글라스-세라믹 재료가 주로 사용되고 있다. 루사이트계와 아파타이트계의 글라스-세라믹 재료는 심미성은 우수하지만 파절강도가 낮기 때문에 높은 응력이 작용하지 않는 부위에 한정하여 적용되고 있다. 반면 리튬 디실리케이트계 글라스-세라믹은 굴곡강도가 400 MPa 이상이므로 구치부 교합력에도 저항할 수 있고, 심미성이 있으므로 비니어 없이도 전치부에 적용이 가능하고, HF에 의한 산부식과 실란처리가 가능하여 레진과 강한 결합력을 얻을 수 있는 등의 장점을 갖고 있다.

6. 글라스 침투 알루미나 세라믹 재료

글라스 침투 알루미나 세라믹 재료는 포세린의 낮은 파절강도와 소성과정에서 발생하는 큰 수축의 문제점을 개선하기 위해서 알루미나와 글라스를 복합체화 하였으며 치과임상에 In-Ceram (Vita Zahnfabrik, Bad Säckingen, Germany)이라는 시스템으로 도입되었다. 이 방식을 적용하여 제작한 세라믹의 굴곡강도는 400~600 MPa 범위로서 종래의 알루미나 함유 포세린의 약 4배에 달하였다. 하지만, 구치부 크라운에서 종종 파절을 보였기 때문에 알루미나에 세리아-부분안정화 지르코니아(Ce-PSZ)를 약 30 vol% 분산한 In-Ceram zirconia가 도입되었고, 또한 불량한 광투과성으로 인하여 전치부 적용에서 한계를 보였기 때문에 스피넬(alumina-magnesia spinel) 결정을 강화한 In-Ceram spinell이 도입되었다. 이후 알루미나 액상 졸을 electroforming하여 다공질 소결체를 준비한 다음 글라스를 용융침투하는 방식의 Wol-Ceram system (Wol-Dent, Ludwigshafen, Germany)이 도입되었다. 이 시스템에서는 powder slip 대신 액상 졸을 사용함에 따라서 제작된 수복물은 코핑 두께가 전체적으로 균일하고 변연적합도가 우수하고 강도가 높은 등의 장점을 보였다.

7. 기계가공용 세라믹 블록

2000년대에 접어들어 컴퓨터의 사용이 보편화됨에 따라서 치과의료기기 전반에 걸쳐서 디지털화가 빠르게 진행되었다. 종래의 아날로그 방식에서는 수복물의 제작과정이 복잡하고 긴 시간이 소요되었을 뿐만 아니라 소결과 열처리 과정에서 일어나는 수축으로 인하여 적합이 불량한 등의 문제점을 보였다. 하지만 디지털 방식에서는 소결과 열처리 과정에서 발생하는 수축의 보상이 가능해졌기 때문에 수복물의 적합이 좋아졌고, 또한 재료 블록이 표준화되고 수복물의 제작공정이 단순하고 정확한 절차에 따라 진행되면서 완성된 수복물은 신뢰도가 높아졌다.

블록을 절삭하여 수복물을 제작하는 SM (Subtractive Manufacturing) 방식에서는 하이브리드 레진, 장석계 포세린, 글라스-세라믹, 알루미나 및 지르코니아 등으로 제작한 블록이 사용되며, 다음의 두 가지 방식이 널리 적용되고 있다. 하나의 방식은 지르코니아 또는 알루미나 세라믹과 같이 강도와 경도가 높은 소재에 적용하는 방식으로서, 완전하게 소결된 상태에서는 기계가공이 어렵기 때문에 블록은 가소된 상태로 공급된다. 또 다른 방식은 하이브리드 레진, 포세린 및 글라스-세라믹 등과 같은 세라믹 소재에 적용하는 방식으로서 강도와 경도가 비교적 높지 않기 때문에 블록은 완전 소결된 상태로 공급된다.

8. 3D 프린팅용 세라믹 재료

3D printing 제작 방식은 1983년 Chuck Hull이 광조형 기술(SLA)로 3차원 입체물을 제작하며 도입된 방식이다. 소재를 한 층 한 층 적층하여 성형하는 방식을 채택하고 있으므로 AM (Additive Manufacturing) 방식으로 언급되고 있다. 수복물이나 모형을 제작하는 절차를 살펴보면, CAD software로 3D 형상의 수복물이나 모형을 디자인하고 이것을 다층의 2D 영역으로 구분한 다음 잉크젯 프린터에서 잉크를 분사하여 인쇄하는 것과 같이, 석고, 플라스틱, 금속, 세라믹 등의 재료를 한 층 한 층 적층하여 3차원의 대상 물체를 제작한다.

분말을 포함하는 페이스트 상 재료를 압출하는 robocasting 방식, 분사과정을 거치는 direct inkjet printing 방식, 열가소성 수지를 포함하는 필라멘트 상의 재료를 압출 헤드로부터 용융 압출하여 성형하는 방식, 또는 광중합형 레진과 혼합한 세라믹 분말의 현탁액(suspension)을 사용하는 SLA (stereolithography) 방식 등에서는 성형 후 바인더(binder)의 제거를 위한 탈지공정과 소결과정을 거치므로 수복물이 완성될 때까지 많은 시간이 소요된다. 또 다른 방법으로는 분말 상의 재료를 레이저/전자빔/플라즈마로 융합하는 SLS (selective laser sintering) 방식, SLM (selective laser melting) 방식, EBM (electron beam melting) 방식 및 DED (direct energy deposition) 방식 등을 들 수 있으며, 이들 방식에서는 바인더를 사용하지 않으므로 탈지공정이 생략되고, 또한 소결/용착이 프린트 중의 짧은 시간 동안에 일어나므로 제작이 빠르며, 또한 다수 수복물의 동시제작이 가능하므로 경쟁력이 있는 방식이라고 할 수 있다. 3D 프린팅에 의한 제작 방식은 앞으로 그의 응용 범위가 빠르게 증가할 것으로 생각된다.

Ⅱ 치과용 세라믹 재료의 분류 및 요구사항

1. 치과용 세라믹 재료

치과용 세라믹 재료의 분류 및 요구사항에 대해서는 ISO 6872:2015(E)에서 규정하고 있다.

1) 분류

치과용 세라믹 재료는 2가지 유형으로 분류한다.

유형 1: 분말 상태로 공급되는 세라믹 재료.

유형 2: 그 외의 다른 형태로 공급되는 재료.

치과용 세라믹 재료는 임상에서의 용도에 따라서, 표 11-1에 표시한 바와 같이, 5가지 등급으로 분류한다. 또한 유형 1의 분말 상태로 공급되는 재료는 구분을 위해서 색이 첨가되는 경우 표 11-2의 색표기 방법에 따른다.

표 11-1. **고정성 보철물의 제작에 사용하는 세라믹 재료의 분류 및 요구되는 성질**

종별	임상적응증	기계적 성질 (MPa)	화학적 성질 (μg/cm²)
등급 1	① 시멘트로 접착하는 전치부 단일치관, 비니어, 인레이 및 온레이를 위한 단일구조 세라믹.	50	<100
	② 금속 프레임워크 또는 세라믹 하부구조 전장을 위한 세라믹.	50	<100
등급 2	① 시멘트로 접착하는 전치부 또는 구치부 단일치관용 단일구조 세라믹.	100	<100
	② 시멘트로 접착하는 전치부 또는 구치부 단일치관용 전부 또는 부분 피개 하부구조 세라믹.	100	<2,000
등급 3	① 시멘트로 접착하거나 접착하지 않는 전치부와 구치부의 단일치관 및 구치를 포함하지 않는 3-unit 브릿지용 단일구조 세라믹.	300	<100
	② 시멘트로 접착하거나 접착하지 않는 전치부와 구치부 단일치관 및 구치를 포함하지 않는 3-unit 브릿지용 전부 또는 부분 하부구조 세라믹.	300	<2,000
등급 4	① 구치를 포함하는 3-unit 브릿지용 단일구조 세라믹.	500	<100
	② 구치를 포함하는 3-unit 브릿지용 전부 또는 부분 피개 하부구조 세라믹.	500	<2,000
등급 5	① 4 또는 그 이상의 unit을 위한 전부 또는 부분 피개 하부구조 단일구조 세라믹.	800	<100
	② 4 또는 그 이상의 unit을 포함하는 보철을 위한 전부 피개 하부구조 단일구조 세라믹.		

표 11-2. 유형 1 치과용 세라믹 분말의 색표기 방법

재료	색 표기
상아질 세라믹	분홍색
법랑질 세라믹	청색
형광성 세라믹	황색
고채도 상아질 세라믹	오렌지색
오팔색 법랑질 세라믹	청색–녹색
수정용 법랑질 세라믹	자주색

2. 치과용 세라믹 블록

치과용 세라믹 블록의 분류 및 요구사항에 대해서는 ISO 18675:2022(E)에서 규정하고 있다.

1) 분류

치과용 세라믹 블록은 3가지 유형으로 분류한다.

유형 1: 가압하거나 주입하거나 해서 제작한 블록.

유형 2: 가소된 블록.

유형 3 완전하게 치밀 소결된 블록.

2) 요구사항

(1) 지르코니아 블록의 수축률 결정

가소된 블록을 밀링하여 10 mm × 10 mm × 10 mm 시편 5개를 준비한 다음 시편의 크기를 ±0.005 mm 정밀도로 측정한다. 이후 제조자의 지시에 따라 소결을 하고 마찬가지로 시편의 크기를 ±0.005 mm 정밀도로 측정한다. 각각의 시편에 대하여 소결전과 소결후의 용적을 계산한 다음 수축률을 식 11-1을 이용하여 계산한다.

> 식 11-1
>
> $$d_{vi} = (V_{bsi} / V_{asi})^{1/3}$$

여기에서 V_{bsi}와 V_{asi}는 각각의 시편의 소결전과 소결후의 용적이다.

지르코니아 블록의 평균 수축률 d_v는 식 11-2로 표시된다.

> 식 11-2
>
> $$d_v = (d_{v1} + d_{v2} + d_{v3} + d_{v4} + d_{v5})/5$$

여기에서 d_{v1}, d_{v2}, d_{v3}, d_{v4}, d_{v5}는 각각의 시편에 대하여 식 11-1을 이용하여 얻은 수축률이다.

블록의 수축률을 계산한 다음 제조자가 제시한 값과 비교한다. 수축률 d_v는, 예를 들면, 1.2295와 같다.

(2) 글라스-세라믹 블록의 가공 및 결정화 열처리 후의 크기안정성

① 시편의 준비

블록을 밀링하여 두께 2.0±0.2 mm × 폭 6.0±0.5 mm × 길이 12-35 mm 시편 5개를 준비한다. 시편의 길이는 주어진 블록의 크기에 맞추어야 한다. 블록의 길이는 크라운용 블록의 경우 14 mm 그리고 브릿지용 블록의 경우 30 mm가 일반적이다. 시편의 두께와 폭은 주어진 한계 내에서 변화될 수 있다. 하지만 시편의 길이는 열처리 전의 기준이 되어야 하므로 일정해야 한다. 시편의 두께와 폭은 전체 길이에 걸쳐서 0.050 mm 이상으로 차이를 보이지 않아야 한다. 밀링 후 시편의 크기를 ±0.005 mm 정밀도로 측정한다. 시편의 두께, 폭 및 길이의 치수를 양쪽 끝단과 중간의 3 위치에서 측정한 다음 그들의 평균 값과 최대와 최소 사이의 차이 값을 계산한다.

② 수축률

열처리 후 시편의 두께, 폭 및 길이의 치수를 ±0.005 mm 정밀도로 측정한 다음 각각의 수축률을 식 11-3a~c를 이용하여 얻는다.

> **식 11-3**
>
> a. 두께 수축률 $d_b = b_m/b_h$
>
> b. 폭 수축률 $d_w = w_m/w_h$
>
> c. 길이 수축률 $d_l = l_m/l_h$

여기에서, b_m, w_m, l_m은 각각 밀링한 시편의 평균 두께, 평균 폭 및 평균 길이이고, b_h, w_h 및 l_h는 열처리를 한 시편의 평균 두께, 평균 폭 및 평균 길이이다.

5개의 시편 각각에 대한 평균 수축률 d_{avi}를 식 11-4를 이용하여 계산한 다음 최종 수축률 d_{av}를 식 11-5를 이용하여 계산한다.

> **식 11-4**
>
> $$d_{avi} = (d_{ui} + d_{bi} + d_{li})/3$$

> **식 11-5**
>
> $$d_{av} = (d_{av1} + d_{av2} + d_{av3} + d_{av4} + d_{av5})/5$$

계산된 최종 수축률 dav가 1.002 미만이면, 1.002보다 큰 수축계수는 피팅과 관련이 있으며 밀링 소프트웨어에서 디지털 모형의 확대계수로서 간주한다.

수축률은 밀링 후의 밀도 rm과 열처리 후의 밀도 rh를 측정하여 얻는 것도 가능하다. 밀도는 부력 방법 또는 비중병 방법을 적용하여 측정할 수 있다. 선상 수축률 d는 식 11-6을 이용하여 밀도 값으로부터 계산할 수 있다.

식 11-6
$$d = (r_h/r_m)^{1/3}$$

(3) 가공 손상

블록은 사용 목적에 따라서 크기가 변화될 수 있다. 크라운과 브릿지를 위한 블록의 크기는 14 mm × 14 mm × 12 mm부터 20 mm × 20 mm × 40 mm까지이다. 이것들은 치밀한 구조이지만 글라스−세라믹의 결정화 또는 다공질 재료의 소결과 같은 후처리가 필요할 수 있다. 이 시험은 장석계 세라믹 블록, 하이브리드 레진 블록 및 글라스−세라믹 블록(유형 3)에 한정하여 적용한다.

다이아몬드 절단용 공구를 사용하여 ISO 6872에 의거하여 시험이 가능하도록 3점 굴곡시험용 시편 15개를 준비한다. 제조자가 승인한 공구를 사용하여 완전하게 치밀소결된 하나 이상의 블록으로부터 최소 15개의 굴곡시험용 시편을 밀링하거나 절삭하여 준비한다. 필요한 경우 결정화와 같은 후처리를 수행한다. 굴곡시험 시는 시편의 밀링 또는 절삭한 가공 표면이 인장응력을 받도록 위치시킨다. ISO 6872에 의거하여 대조군과 밀링하여 준비한 시편의 3점 굴곡시험을 실시한 다음 평균과 표준편차를 계산한다.

(4) merlon 파절 시험에 의한 가공성 시험

사용하지 않은 새로운 공구로 1개의 바닥면과 4개의 독립된 벽면으로 구성된 merlon 시편(그림 11-2)을 준비한다. 상단 가장자리의 1/3 이상이 파절된 merlon은 파절된 것으로 간주한다(그림 11-3). 기계가공 후 merlon과 바닥의 두께를 ±0.005 mm 정밀도로 측정한다. 시편의 기계가공 후 소결이나 열처리하지 않은 상태에서 손상이나 파절이 없는 merlon 수를 조사한다. 5개의 시편을 대상으로 하여 두께당 파절된 merlon과 시편 바닥의 수를 조사하는 것은 특정의 재료 및 제작 공정의 평가에 이용될 수 있다.

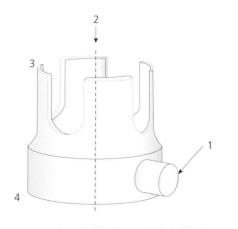

1: 유지 핀
2: 삽입방향
3: 상부
4: 바닥

그림 11-2. 변연부, 유지핀, 삽입방향을 포함하는 merlon 시편의 형상.

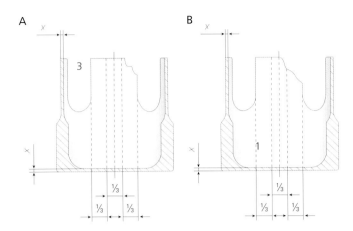

그림 11-3. **손상되지 않은 merlon(A)과 파절된 merlon(B)에 대한 기준.** A는 merlon 상단의 가장자리가 1/3 이하로 파손되었으므로 손상되지 않은 것으로 간주하고, B는 merlon 상단의 가장자리가 1/3 이상으로 파손되었으므로 파절로 간주한다.

ⓘ 실습내용

1. 비커스 압자 압입 시험

1) 기초지식

세라믹 재료에 비커스 압자를 압입하면, 압자의 하방에 1차적으로 소성영역이 형성되고 이 소성영역과 탄성영역의 접점에 발생한 인장응력으로 인하여 압자의 모서리를 따라서 균열이 생성된다. 압입하중이 작을 때는 얇은 반타원형의 표면형 균열인 Palmqvist crack이 생성되지만, 압입하중이 어떤 한계 이상이 되면 소성영역의 하부에 수직한 균열인 radial crack이 생성되며 반원형의 영역에 걸쳐서 median crack이 생성된다. 이외에도 소성영역과 탄성영역의 역학적 불일치로 인한 잔류응력 때문에 압입하중이 제거된 이후 소성영역의 하부에 횡방향의 lateral crack이 생성되기도 한다(그림 11-4).

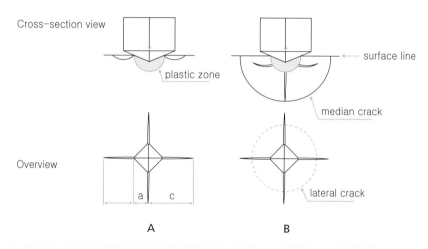

그림 11-4. **세라믹 재료에 비커스 압자를 압입할 때 생성되는 균열 형상. A. Paimqvist crack pattern; B. Median/half-penny crack pattern.**

2) 실습기구 및 재료

포세린 분말 1종류, 혼합 팔레트 또는 100×100×5 mm 유리판, 시편제작용 원판상 금형, 몰드칭소용 솔, 셀로판지, 증류수, 일회용주사기, vibrator, tissue paper, 커터칼, SiC 연마지(#240-#1,200), 연마천, 비커스 미소경도시험기.

3) 시험절차

① 혼합 팔레트 상에서 포세린 분말과 증류수를 균일하게 혼합한다.

② 원판상 금형과 받침판 사이에 셀로판지를 깔고 받침판과 금형을 나사로 체결한다(그림 11-5).

③ 금형에 혼합한 포세린 분말을 채우고 진동을 가하며 수분을 티슈페이퍼로 제거한다.

④ 포세린의 축성 후 커터칼로 여분의 포세린을 제거한다(그림 11-6).

⑤ 체결한 나사를 풀고 금형을 가볍게 톡톡 쳐서 축성한 시편을 빼낸 다음 셀로판지를 제거한다(그림 11-7).

⑥ 축성한 포세린 시편을 제조자가 추천한 소성 schedule에 따라서 소성한다.

⑦ 준비한 시편의 표면을 #240-#1,200 SiC 연마지 단계에 걸쳐서 순차적으로 연마한 다음 1 ㎛ 알루미나 페이스트로 마무리 연마를 한다.

⑧ 준비한 시편의 표면에 압입하중 1 kg, 유지시간 15초의 조건으로 비커스 압자를 압입한 다음 균열을 관찰한다.

4) 시험결과의 평가 및 비교

① 포세린 시편에 비커스 압자를 압입한 후 경도 값과 압입하중에 따른 균열 양상을 조사해보자.

② 밀링용의 포세린 블록, 루사이트 함유 글라스-세라믹 블록 및 리튬 디실리케이트 블록에 대해서도 경도값과 균열 양상을 조사해보자.

그림 11-5.

그림 11-6.

그림 11-7.

[시험 예 1] 포세린 표면에 비커스 압자를 압입했을 때의 균열 양상

1) 시험절차

① 포세린 분말을 팔레트 상에서 증류수로 균일하게 혼합한 다음 상기의 절차에 따라서 내경 20 mm × 두께 1.8 mm 금형에 축성하였다.

② 제조자가 제시한 소성조건에 따라서 소결온도 920℃에서 30초간 유지하였으며 6분간에 걸쳐서 냉각하였다. 1차 소성 후 동일한 소성조건에 따라서 한 번 더 반복하여 소성하였다.

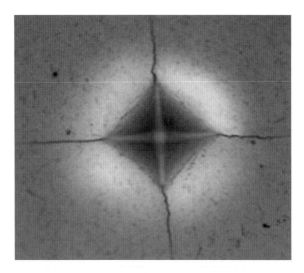

그림 11-8.

③ 상기 시편의 표면을 #240-#1,200 SiC 연마지 단계에 걸쳐서 순차적으로 연마한 다음 1 ㎛ 알루미나 페이스트로 마무리 연마를 하였다.

④ 준비한 시편을 비커스 미소경도시험기에 장착하고 압입하중 1 kg, 유지시간 15초의 조건으로 비커스 압자를 압입한 다음 광학현미경으로 촬영하였다(그림 11-8).

2) 시험결과의 분석

비커스 압자의 압입부에서는 비커스 압자의 압흔상과 대각선 방향으로 성장한 미세균열 및 표면 아래에서 진행된 lateral crack으로 인한 chipping 양상이 관찰되었다. 이상의 결과로 미루어 볼 때, 금속-세라믹용 포세린에 압입하중 1 kg으로 비커스 압자를 압입하는 경우 압입부에 median crack이 생성됨을 알 수 있었다.

2. 세라믹 블록의 미세조직 관찰

1) 실습기구 및 재료

Lithium disilicate 함유 글라스-세라믹 블록, 지르코니아 소결체 블록, SiC 연마지(#240-#1,200), 연마천, 주사전자현미경 등.

2) 시험절차

(1) Lithium disilicate 함유 글라스-세라믹 블록의 미세조직 관찰

① Lithium disilicate 함유 글라스-세라믹 블록을 절단하여 15×15×2 mm 시편을 준비한다.

② 시편의 표면을 #240-#1,200 SiC 연마지 단계까지 순차적으로 연마한 다음 1 ㎛ 알루미나 페이스트로 마

무리 연마한다.

③ 시편의 표면을 5–9% HF 겔/수용액으로 30초간 산부식한 다음 수세하고 건조한다.

④ 준비한 시편의 미세조직을 주사전자현미경으로 관찰한다.

(2) 정방정 지르코니아 다결정체(3Y–TZP)의 미세조직 관찰

① 지르코니아 블록을 절단하여 15×15×2 mm 시편을 준비한다.

② 준비한 시편의 표면을 #240–#1,200 SiC 연마지 단계까지 순차적으로 연마한다.

③ 시편의 세척 건조 후 제조자의 지시에 따라서 소결한다.

④ 시편의 열부식을 위해서 제조자가 제시한 소결온도보다 50℃ 낮은 온도에 10분 동안 유지한다.

⑤ 준비한 시편의 미세조직을 주사전자현미경으로 관찰한다.

[시험 예 2] Lithium disilicate 함유 글라스–세라믹 블록의 미세조직 관찰

1) 실습기구 및 재료

IPS e.max CAD LT A2 블록(Ivoclar/Vivadent, Liechtenstein), Amber Mill LT A2 블록(Hass, Korea), SiC 연마지(#240–#1,200), 연마천, 9% HF 수용액, 고해상도 전계방출 주사전자현미경(HR FE–SEM, SU8230, Hitachi, Japan, 그림 11–9).

2) 시험절차

① IPS e.max CAD LT A2 블록과 Amber Mill LT A2 블록을 횡으로 절단하여 각각 두께 2 mm 시편 2개씩을 준비하였다.

② 시편의 표면은 #240–#1,200 SiC 연마지 단계에 걸쳐서 순차적으로 연마한 다음 1 ㎛ 알루미나 페이스트

그림 11–9.

로 마무리 연마하였다.

③ 1개씩의 시편은 각각 표 11-3의 제조자가 추천하는 조건에서 열처리를 하였다.

④ 모든 시편은 9% HF 산용액으로 30초 동안 산부식한 다음 증류수 중에서 5분간 초음파 세척하고 건조하였다.

⑤ 시편의 미세조직을 HR FE-SEM으로 관찰하였다.

3) 시험결과의 분석

그림 11-10 A와 B는 IPS e.max CAD LT A2 블록의 열처리 전(A)과 후(B)의 HR FE-SEM 사진으로, 열처리 전에는 미세한 알갱이 상의 구조였지만 열처리 후에는 전형적인 lithium disilicate의 침상구조로 변화되었다. 그림 11-10 C와 D는 Amber Mill LT A2 블록의 열처리 전(C)과 후(D)의 HR FE-SEM 사진으로, 열처리 전에는 미세한 침상구조였지만 열처리 후에는 침상결정들이 조대화되어서 IPS e.max CAD LT A2 블록의 열처리 후와 유사한 크기의 침상구조로 변화되었다.

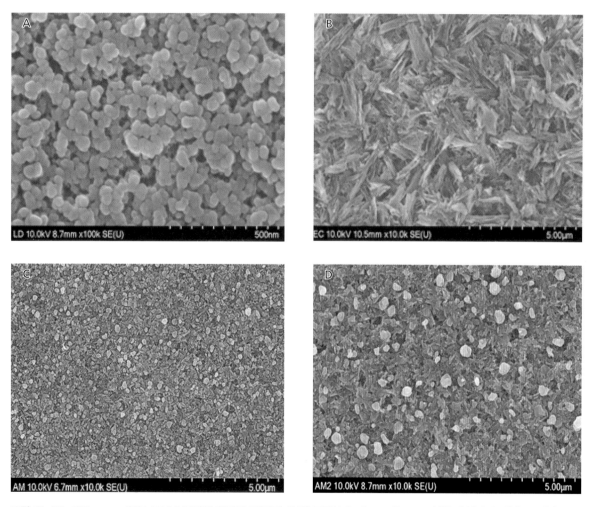

그림 11-10. IPS e.max CAD LT A2 블록의 열처리 전(A)과 후(B) 그리고 Amber Mill LT A2 블록의 열처리 전(C)과 후(D)의 미세조직.

표 11-3. IPS e.max CAD LT A2와 Amber Mill LT A2 블록의 열처리조건

Material	B (℃)	S (min)	t_1 (℃/min)	T_1 (℃)	H_1 (min)	t_2	T_2	H_2 (min)	V_1 (℃)	V_2 (℃)	L (℃)
IPS e.max CAD LT A2	403	6	90	820	0:10	30	840	7	550	820	700
Amber Mill LT A2	400	3	60	840	15	–	–	–	550	840	690

(B : Stand-by temp, S : Closing time, t1 : Heating rate; T1 : Firing Temp, H1 : Holding time, t2 : Heating rate, T2 : Firing temp, H2 : Holding time, V1 : Vacuum on, V2 : vacuum off, L : Long-term cooling)

[시험 예 3] 지르코니아 블록의 미세조직 관찰

1) 실습기구 및 재료

3Y-TZP 블록, SiC 연마지(#240-#1,200), 고해상도 전계방출 주사전자현미경 등.

2) 시험절차

① 지르코니아 가소 블록을 절단하여 15×15×2 mm 시편을 준비하였다.

② 시편의 표면을 #240-#1,200 SiC 연마지 단계에 걸쳐서 순차적으로 연마한 다음 제조회사가 추천하는 소성스케줄에 따라 온도를 1,450℃로 올려서 2시간 동안 유지하였다.

③ 시편의 열부식을 위해서 승온속도 50℃/min으로 온도를 1,400℃로 올려서 10분 동안 유지하였다.

④ 시편의 미세조직을 HR FE-SEM으로 관찰하였다.

3) 시험결과의 분석

그림 11-11은 3Y-TZP의 HR FE-SEM 사진으로, 전형적인 정방정 지르코니아 다결정체의 구조를 보였다.

그림 11-11. 3Y-TZP 블록의 미세조직.

Chapter 12

젖음성 시험

- 액상과 고상의 재료가 접촉할 때 접촉각이 작게 되는 조건에 대하여 공부한다.

I 기초지식

1. 원자/분자 사이의 결합

물질의 성질은 그 물질을 구성하는 원자의 종류는 물론 원자간의 결합에 크게 영향을 받는다. 물질의 내부에 위치하는 원자들은 주위를 둘러싸는 원자들과의 상호작용으로 인하여 포텐셜에너지의 감소가 일어나며, 따라서 중심부에 가까울수록 주위를 둘러싸는 원자의 수가 증가하므로 안정한 상태로 존재한다. 하지만 표면에서는 주위의 원자들과 불충분하게 결합하고 있으므로 잉여의 표면에너지를 유발하며, 이것이 재료들 사이에서 일어나는 결합의 구동력이 된다. 액체의 경우에는 표면의 잉여 에너지는 표면적을 최소화하려는 장력으로 작용하므로 액적을 형성한다(그림 12-1).

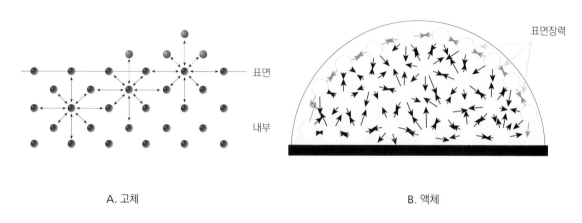

A. 고체   B. 액체

그림 12-1. **고체(A)와 액체(B)의 표면에너지.**

2. 고체 표면에 대한 액체의 젖음성 및 결합에너지

젖음성은 고체의 표면에서 액체의 퍼지는 정도로서 표시하며, 일반적으로 고체 표면과 액체의 접촉부가 이루는 각도인 접촉각(contact angle) θ를 측정함으로써 알 수 있다. 액체가 고체 표면에서 잘 퍼지지 않으면 접촉각 θ는 증가하지만(poor wetting) 잘 퍼지면 접촉각 θ는 감소한다(good wetting) (그림 12-2).

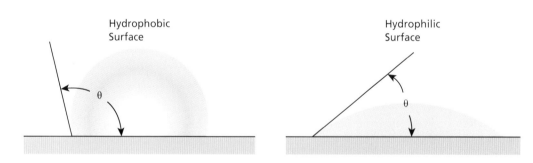

그림 12-2. **액적이 고체 표면과 이루는 접촉각 θ.**

액체가 고체와 접촉할 때의 결합에너지(Wsl)는 식 12-1로 표시된다(그림 12-3 참조).

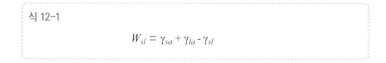

식 12-1

$$W_{sl} = \gamma_{sa} + \gamma_{la} - \gamma_{sl}$$

여기에서, γsa 는 고체의 표면 에너지, γla 는 액체의 표면 에너지, 그리고 γsl 은 액체와 고체의 결합으로 인하여 감소된 에너지이다.

한편 액적이 고체 표면과 접하는 경우 고체 표면과 액적 사이에는 접촉각이 형성되며(그림 12-3), 그의 열역학적 평형관계는 식 12-2로 표시된다.

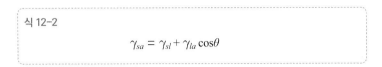

식 12-2

$$\gamma_{sa} = \gamma_{sl} + \gamma_{la} \cos\theta$$

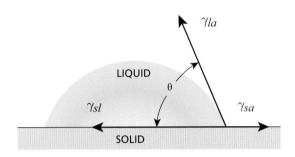

그림 12-3. 액적이 고체 표면과 표면과 접촉하여 열역학적 평형을 이룬 상태.

식 12-1에 식 12-2를 대입하고 정리하면 결합에너지는 식 12-3으로 표시된다.

식 12-3

$$W_{sl} = \gamma_{la} (1+\cos\theta)$$

식 12-3에서 알 수 있듯이, 액체가 고체 표면과 접촉하는 경우의 결합에너지는 액체의 응집력 γ_{la} 값이 크고 또한 접촉각 θ = 0인 조건, 즉 완전한 젖음상태에서 얻어짐을 알 수 있다.

II 실습내용

1. 치과용 인상재에 대한 물의 접촉각 시험

1) 기초지식

치과용 인상재는 구강 내 연조직 및 경조직의 형상을 음형의 형태로 정밀하게 복제하기 위해 사용하는 재료이다. 구강 내는 100% 상대습도가 유지되고 또한 타액이 분비되고 있기 때문에 인상체의 정밀도는 인상재의 종류에 따라서 차이가 있을 수 있다. 본 시험에서는 수성 콜로이드 인상재의 한 종류인 알지네이트 인상재와 탄성 중합체 인상재의 한 종류인 유형 3 저점도 부가중합형 실리콘 고무 인상재를 대상으로 하여 물의 접촉각을 시험하고자 한다.

2) 실습기구 및 재료

알지네이트 인상재, 러버볼과 스파튤라, 계량컵과 계량스푼, 유형 3 저점도 부가중합형 실리콘 고무 인상재, 자동혼합기, 50×50×5 mm 유리판 4장, 1 ml/cc 1회용 주사기와 고정부로 구성된 water drop system, 내경 35 mm × 높이 15 mm 금속제 링 금형(ring mold), 습윤제 등.

3) 시험절차

(1) 알지네이트 인상재의 접촉각 시험 절차

① 50×50×5 mm 하부 유리판 위에 내경 35 mm × 높이 15 mm 금속제 링 금형을 올려놓는다(그림 12-4).
② 인상재를 혼합한 다음 링 금형에 채워 넣는다(그림 12-5).
③ 상부 유리판으로 덮고 압착을 해서 여분의 인상재를 제거한 다음 클램프로 고정한다(그림 12-6).
④ 제조자가 추천한 경화시간 동안 36℃ 수조에 침지한다.
⑤ 인상재의 경화 후 인상체의 표면을 물로 씻어내고(그림 12-7), air syringe로 가볍게 불어서 여분의 물기를 제거한다.

| 그림 12-4. | 그림 12-5. | 그림 12-6. |

그림 12-7.

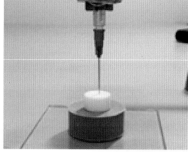

그림 12-8.

그림 12-9.

⑥ 준비한 시편을 접촉각 시험장치에 올려놓고, 침 끝이 시편의 10 mm 상방에 오도록 고정한다(그림 12-8).

⑦ 물방울을 떨어뜨리고, 10초 경과 후 접촉각을 측정한다(그림 12-9).

(2) 유형 3 저점도 부가중합형 실리콘 고무 인상재의 접촉각 시험 절차

① 50×50×5 mm 하부 유리판 위에 내경 35 mm × 높이 15 mm 금속제 링 금형을 올려놓는다(그림 12-10).

② 자동혼합한 인상재를 링 금형에 채워 넣는다(그림 12-11).

③ 상부 유리판으로 덮고 압착을 해서 여분의 인상재를 제거한 후 클램프로 고정한다(그림 12-12).

④ 제조자가 추천한 경화시간 동안 36℃ 수조에 침지한다.

⑤ 인상재의 경화 후 인상체의 표면을 물로 씻어내고(그림 12-13), air syringe로 가볍게 불어서 여분의 물기를 제거한다.

⑥ 준비한 시편을 접촉각 시험장치에 올려놓고 침 끝이 시편의 10 mm 상방에 오도록 고정한다(그림 12-14).

⑦ 물방울을 떨어뜨리고 10초 경과 후 접촉각을 측정한다(그림 12-15).

그림 12-10.

그림 12-11.

그림 12-12.

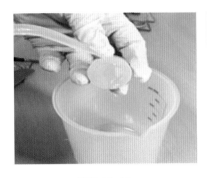

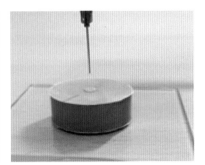

그림 12-13.   그림 12-14.   그림 12-15.

4) 시험결과의 평가 및 비교

① 인상재의 종류에 따른 접촉각의 차이를 비교해보자.

② 유형 3 저점도 부가중합형 실리콘 고무 인상재로 준비한 시편에 습윤제를 적용하고 접촉각을 조사해보자.

③ 인상채득의 과정에서 타액이 조절되지 못했을 때의 영향에 대하여 조사해보자.

그림 12-16은 저점도 부가중합형 실리콘 고무 인상재 시편(A)과 습윤제를 적용한 시편(B)에 물방울을 떨어뜨리고 10초가 경과한 후의 사진으로, 저점도 부가중합형 실리콘 고무 인상재 시편에서는 물방울이 퍼지지 않고 소수성을 나타냈지만 습윤제를 적용한 시편에서는 물방울이 보다 넓게 퍼져서 친수성을 나타냈다.

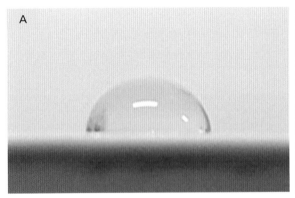
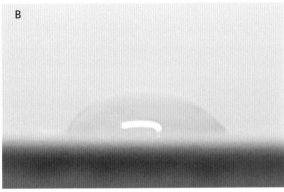

그림 12-16. **저점도 부가중합형 실리콘 고무 인상재 시편(A)과 습윤제를 적용한 시편(B)에 물방울을 떨어뜨리고 10초가 경과한 후의 사진**

2. 왁스에 대한 물의 접촉각 시험

1) 기초지식

치과정밀주조법으로 금속제 수복물을 제작할 때는 왁스로 패턴을 준비한 다음 매몰재를 물 또는 전용액으로

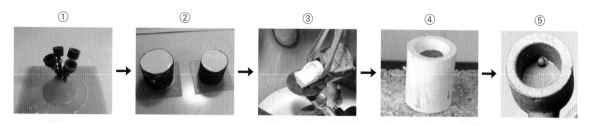

그림 12-17. 금속제 시편의 원심 주조 과정. (1) 왁스 패턴의 원추대 고정, (2) 매몰, (3) 원심주조, (4) 원심주조한 후의 금속제 링. (5) 주조체 내면의 돌기상 결함.

혼합하여 매몰하고 다음 소환과정을 거쳐서 주형을 준비한다. 왁스 패턴을 매몰하는 과정에서 젖음이 불량할 경우 주조체에는 돌기 상의 결함이 생성될 수 있다(그림 12-17).

2) 실습기구 및 재료

주조 왁스, 베이스플레이트 왁스, 습윤제, 50×50×5 mm 유리판 2장, 내경 20 mm × 높이 10 mm 금속제 링 금형, 왁스 분리제, 용해 냄비, water drop system.

3) 시험절차

(1) 왁스 시편의 준비

① 50×50×5 mm 유리판과 시편제작용 금형에 실리콘 그리스를 얇게 도포한다.

② 유리판 위에 시편 제작용 금형을 올려놓는다. 금형의 온도가 낮을 경우 시편이 정확하게 제작되지 않을 수 있으므로 용융된 왁스를 채우기 전에 금형을 55±5℃로 가온한다.

③ 용해 냄비에 주조용 왁스를 넣고 알코올 램프로 가열하여 용해한 다음, 금형에 약간 넘치도록 채운다(그림 12-18).

④ 왁스가 어느 정도 경화되었을 때 55±5℃로 가온한 또 다른 유리판으로 가압하여 여분의 왁스를 제거한다(그림 12-19).

⑤ 왁스의 경화 후 유리판을 떼어내고, 시편을 금형에서 분리한다(그림 12-20).

그림 12-18.

그림 12-19.

그림 12-20.

(2) 접촉각의 측정

① 준비한 왁스 시편을 접촉각 시험장치에 올려놓고 침 끝이 시편의 10 mm 상방에 오도록 고정한다.

② 왁스 표면에 물방울을 떨어뜨리고, 10초 경과 후 접촉각을 측정한다(그림 12-21).

그림 12-21.

4) 시험결과의 평가 및 비교

① 주조 왁스와 패턴 레진에 대하여 물의 접촉각을 측정하고 비교해보자.

② 습윤제의 적용이 접촉각에 미치는 영향에 대하여 조사해보자.

그림 12-22는 왁스 시편(A)과 습윤제를 적용한 왁스 시편(B)에 물방울을 떨어뜨리고 10초가 경과한 후의 사진으로, 왁스 시편에서는 물방울이 퍼지지 않고 소수성을 나타냈지만 습윤제를 적용한 왁스 시편에서는 물방울이 넓게 퍼져서 친수성을 나타냈다.

그림 12-22. **왁스 시편(A)과 습윤제를 적용한 왁스 시편(B)에 물방울을 떨어뜨리고 10초가 경과한 후의 사진.**

3. 규산염 글라스에 대한 물의 접촉각 시험

1) 기초지식

규산염 세라믹으로 준비한 수복물을 치아에 합착할 때는 결합력을 높이기 위해서 불산(HF) 겔/수용액으로 산부식을 하고 실란 결합제(silane coupling agent)로 처리한 다음 레진 시멘트로 합착한다. 규산염 세라믹 수복물의 합착부를 불산으로 산부식하면 결정상과 글라스 기질 사이의 선택적 용해로 인하여 결합부에 미세요철이 생성된다. 한편 불산으로 산부식한 규산염 세라믹의 표면에는 실라놀 그룹(Si-OH)이 풍부하게 존재하므로 친수성을 나타낸다. 여기에 실란 결합제를 적용하여 커플링(coupling)을 유도하면 친수성 표면이 소수성 표면으로 전환되므로 소수성 레진에 대한 젖음성이 개선되어 기계적 화학적 결합이 가능하다.

그림 12-23은 규산염 세라믹을 실란으로 커플링 한 후 bis-GMA 레진으로 합착하는 과정을 화학식으로 나타낸 것이다. 규산염 세라믹과 실란 결합제 사이의 결합을 유도하기 위해서는 탈수를 위한 건조가 필요하고, 또한 실란 결합제와 레진 시멘트 사이의 화학적 반응을 위해서는 중합 개시제와 촉진제가 필요하다.

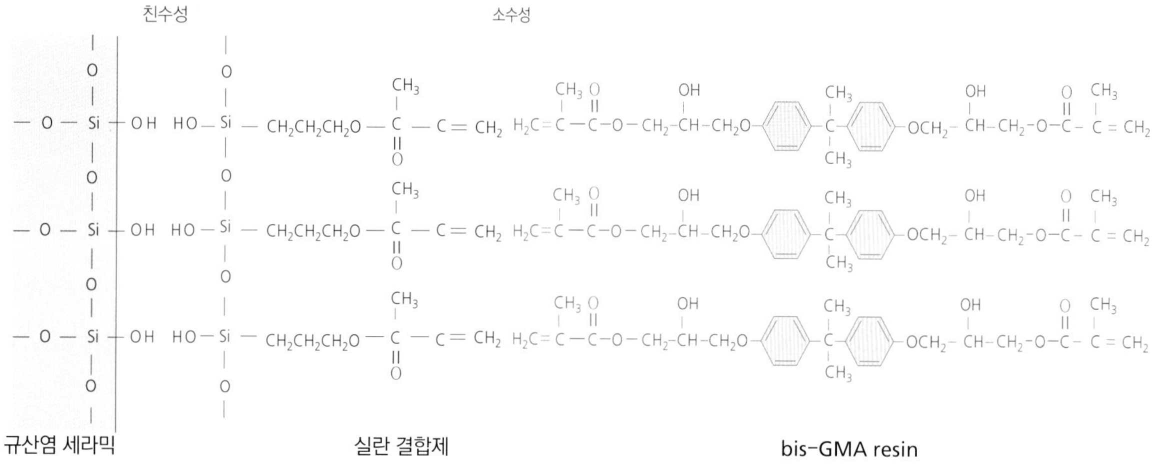

그림 12-23. 실란 결합제에 의한 규산염 세라믹과 bis-GMA 레진의 결합.

2) 실습기구 및 재료

50×50×5 mm 유리판 2장, #400 SiC 연마지, 실란 결합제, 9% HF 겔/수용액, 드라이어 등.

3) 시험절차

① 유리판을 #400 SiC 연마지로 연마한 후 수세 건조한다.
② 두 장의 유리판 표면에 5~9% HF 겔/수용액을 적용하고 20초 경과 후 수세 건조한다.
③ 한 장의 유리판에 실란을 적용하고 가볍게 건조한다.
④ 준비한 두 장의 유리판을 각각 접촉각 시험장치에 올려놓고, 침 끝이 유리판의 10 mm 상방에 오도록 고정한다.

⑤ 유리판에 물방울을 떨어뜨리고, 10초 경과 후 접촉각을 측정한다.

4) 시험결과의 평가 및 비교

① 불산으로 산부식한 유리판과 실란 처리한 유리판에 대하여 물의 접촉각을 측정하고 비교해보자.

② 불산으로 산부식한 유리판과 실란 처리한 유리판에 대하여 bis/GMA/TEGDMA 혼합 용액의 접촉각을 측정하고 비교해보자.

그림 12-24는 9% HF 수용액으로 산부식한 유리판과 산부식 후 실란 처리한 유리판에 물방울을 떨어뜨리고 10초가 경과한 후의 사진으로, 산부식한 유리판에서는 물방울이 넓게 퍼져서 친수성을 나타냈지만 산부식 후 실란 처리한 유리판에서는 퍼지지 않고 액적을 형성하여 소수성을 나타냈다.

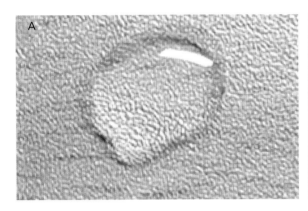
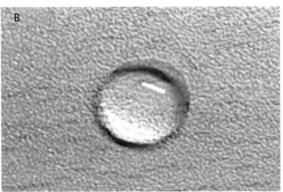

그림 12-24. 9% HF 수용액으로 산부식한 유리판(A)과 산부식 후 실란 처리한 유리판(B)에 물방울을 떨어뜨리고 10초가 경과한 후의 사진.

4. Ti에 대한 물의 접촉각 시험

1] 기초지식

Ti 임플란트는 정밀한 CNC 선반에 의한 기계가공, 세정, 표면처리 및 멸균의 과정을 거쳐서 준비된다. Ti 봉의 기계가공 과정에서 새로운 Ti가 대기 중이나 윤활제 및 냉각제에 노출되면 표면에서는 급속하게 산화가 일어나며 이들과 반응이 일어나게 된다. 또한 증기멸균을 하는 경우 온도의 상승과 습기로 인해 산화층의 성장이 일어날 수도 있고 -OH 기의 결합이 일어날 수도 있다.

그림 12-25는 선반가공-세정-멸균처리의 과정을 거쳐서 제조된 Ti 임플란트 표면에 대한 XPS(X-ray Photo-electron Spectroscopy) 분석 결과로서, 표면에서는 Ti와 O의 피크 이외에도 C, Cl 등의 피크가 검출되었다. C의 피크는 임플란트의 기계가공과 준비 중에 사용된 윤활제와 세정제의 유기분자들이 흡착 결합된 것에서 비롯된 것으로, 이것은 UV나 저온플라즈마의 조사에 의해서 분해 제거가 가능한 것으로 언급되고 있다.

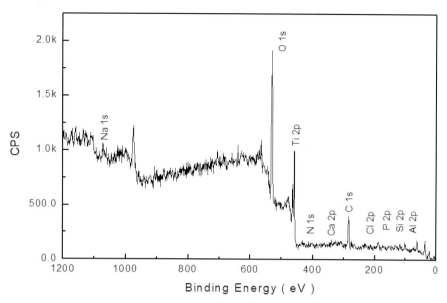

그림 12-25. 기계가공한 Ti 임플란트의 XPS 분석 결과.

2] 실습기구 및 재료

15×15×1.5 ㎜ Ti 판 2개, #600, #800 및 #1000 SiC 연마지, UV 장치, 드라이어 등

3] 시험절차

① #600, #800 및 #1000 SiC 연마지에 절삭유를 뿌리고서 Ti 판을 순차적으로 연마하고 브러시에 세정제를
   묻혀서 깨끗하게 닦은 후 수세 건조한다.
② 한 개의 Ti 판은 유리병에 건조한 상태로 보관하고 다른 한 개의 판은 시험 전 UV 장치에 10시간 이상 보관
   한다.
③ 준비한 Ti 판을 접촉각 시험장치에 올려놓고 침 끝이 10 ㎜ 상방에 오도록 고정한다.
④ Ti 판에 물방울을 떨어뜨리고 10초 경과 후 접촉각을 측정한다

4] 시험결과의 평가 및 비교

① 연마한 Ti 판과 연마 후 자외선 처리한 Ti 판 사이의 접촉각을 비교해보자.
② Ti 임플란트의 젖음성과 골유착 사이의 관계에 대해서 조사해보자.